出口版 学問のすすめ

「考える変人」が日本を救う！

はじめに

学生時代の僕は、本ばかり読んでいてほとんど勉強しなかったので、成績も悪く、どちらかといえば劣等生でした。司法試験に落ちたので、卒業後は生命保険会社に入ることになりました。ただ、ゼミで発表したレポートが先生の目にとまり、「研究の道に進まないか」と誘われたことがありました。レポートのテーマは「表現の自由」。僕は読書量だけは豊富だったので、いろいろな視点から「表現の自由」を論じました。それがユニークだと評価されたのでしょう。「でも僕の成績は最悪ですよ」というと、先生は「こんなレポートを書けるキミの成績が悪いはずはない」といって確認してくれましたが、やはり「優」が少なく、「良」や「可」ばかり。おもしろくない講義は出席もせず、興味のある授業だけ聴いていたので、当たり前といえば当たり前です。先生が「(成績が悪いのは)ホンマやね……」と、肩を落とされたことを覚えています。そんな僕が立命館アジア太平洋大学（APU）の学長になり、立命館の規程により教授になったのですから、世の中は本当にわからないものです。

実はライフネット生命を創業する前に1年ちょっとのあいだ、非常勤ですが東京大学の総長室アドバイザーを務めていた経験があります。2004年に国立大学法人となった東京大学は、早くから独自の改革に取り組んでいましたが、総長室アドバイザーはそれを側面からサポートする役割です。大学と企業をどうしたら上手につなぐことができるか、それがメインのテーマでした。その経験が少しあったので、学長というポストは生半可な覚悟では務まらないことは十分理解しています。とくにいま、大学は、18歳以下人口の減少、ガバナンス改革、国際化の立ち後れ、教育研究環境の改善、リカレント教育への対応などさまざまな課題を抱えています。さらにコロナ禍が追い討ちをかけました。ポストコロナの大学はどのような姿になるのか、暗中模索の日々が続いています。

現在の僕は、コロナ対策に追われながら、教育基本法や学校教育法、学校教育法施行令などを読み込んだり、世界の大学の動向を調べたり、他の大学の学長からお話を伺ったりしながら、「なぜ日本の教育システムはこのようなかたちになったのか」「日本の教育は何が特徴で、何が問題なのか」「これからの大学はどうあるべきか」などの諸問題を、原点にさかのぼって突き詰めて考えるように努めています。僕は２０１７年に古稀《こき》を迎えましたが、何歳になっても新しいことを学ぶのは、ドキドキワクワクするし、本当に楽しく、おもしろいと感じます。

さて、この本のタイトルは「出口版 学問のすすめ」です。学ぶとは何か、勉強することによって何が得られるのか、学ばないとどうなってしまうのか、などについて話していきたいと思います。

本題に入る前に、僕が考える「学び」や「勉強」の定義について、少し説明しておきましょう。

「人に会う」「本を読む」「旅をする」といった実体験を通じて知識や考える型、発想のパターンなどを吸収（インプット）し、咀嚼した結果をアウトプットすることによって自分のものにしていくこと――。その一連の営みが学びであり勉強だと僕は捉えています。

パスカルが著書『パンセ』のなかで述べていますが、「人間は考える葦《あし》」ですから、学びや勉強の最終目的は「考える力を養成すること」に尽きると思います。自分の頭で考え、自分の言葉で、自分の意見を述べるために、人は一生学び、勉強するのです。そして、当たり前のことですが、自分の意見を主張するためには、「数字・ファクト・ロジック」、即ちエビデンスの裏付けが必要になります。これらは他の著書でも書いていることですが、僕の考えのコアになる部分なので、押さえておいてください。

とくに日本人の場合、「勉強」というと、どうしても机に向かってコツコツ積み上げるもの――つまり、ひたすらインプットするものというイメージからなかなか抜け出せないようです。でも、インプットするだけでは、半分、あるいはそれ以下しか勉強したことにはなりません。インプットしたものをアウトプットしなければ、身につかないのです。

これをタンスにたとえてみましょう。インプットした段階は、衣類などをぐちゃぐちゃに放り込んでいる状態です。これではどこに何があるのかわからないので、Ｔシャツなどをいくらたくさん持っていても意味がありません。しかし、タンスの中をきちんと整理しておくとスムーズに取り出すことができます。この「タンスの整理」に当たるのが、インプットしたことを「自分の言葉で置き換えること」、即ちアウトプットです。言葉は本質的に思考のツールであり、人は自分の言葉によってタンス（頭）の中を整理するのです。

こうした勉強、思考、アウトプットなどについては、本文中で繰り返し、角度を変えながら説明していきたいと思います。

もう一点、僕が抱いている危機意識の一つに、「学ぶ力の衰退」があります。

『学問のすゝめ』を著した福沢諭吉は「西洋の文明が発展したのは、さまざまなことを疑ったからだ」と述べています。当時の日本では、俗説や神仏、占いを信じて、ときに命を危険にさらす人も多かったのですが、ローマ教会の教義を疑って宗教改革を起こしたマルティン・ルター、貴族が上に立つ世の中に疑いを抱いて革命を起こしたフランスの人民、連合王国（イギリス／本書では以下、「連合王国」もしくは「ＵＫ」と表記します）の課税に疑問を持って独立を成し遂げたアメリカ人民などは、常識とされていることを疑ったことで新しい時代を拓いたのだ、と分析しました。

日本が鎖国をしているあいだに、連合王国やフランス、ドイツなどの西欧列強は、産業革命と国民国家（ネイションステート）という2大イノベーションを取り込み、近代国家への変身を成し遂げました。鎖国により外国との交流ができなくなったので、日本は学問の面でも大きく立ち後れ、国学者の本居宣長のように活躍をした人もいましたが、たとえば同時代のドイツの哲学者カントの壮大な哲学大系と比べると、そのスケールの違いに唖然とするしかありません。

『永遠平和のために』というカントの著作は国際連盟が生まれるきっかけになり、その思想の枠組みは、いまでも世界中に刺激を与え続けています。カントは、連合王国のヒュームやフランスのルソーに大きな刺激を受けたからこそ、このような優れた業績を残せたのです。

つまり、外部からの刺激をほとんど受けなかった鎖国の200年あまりのあいだに、日本は全体としてものすごく立ち遅れてしまいました。GDPの世界シェアは、鎖国のあいだに半減していています。いち早く海外の空気を吸ってきた福沢は、それを理解していたので、少しでも早く追いつこうとしたのだと思います。

時が過ぎ、現在の日本には、鎖国の影響など全くなくなったかのように見えます。しかし「GDP世界2位の大国やで」と自慢していた経済力で中国に負けてしまい、お家芸だった家電や半導体では韓国や台湾に水をあけられてしまいました。ジョン・ルカーチは名著『歴史学の将来』の中で、「一般に祖国愛が防衛的であるのに対し、大衆迎合的なナショナリズムは攻撃的である（中略）ナショナリズムとは劣等感と不義の関係を結んだ祖国愛である」と述べていますが、現在の日本の風潮がルカーチの危惧した状況に陥っていないことを切に願っています。

先進地域の中で最も経済成長率が低く、少子高齢化が進んで人口が減り続けている日本は、ここから大胆な構造改革を行って盛り返すのか、このまま緩慢に衰退していくかの瀬戸際にあります。盛り返すには、世界の国々の優れているところを謙虚に学ぶ姿勢が必要ですが、そういう問題意識が希薄で、学ぶ力が衰えているような気がしてならないのです。学ぶ力を取り戻し、社会を活性化させるだけではなく、私たちが元気で明るく楽しい人生をおくるにはどうしたらいいのかを、ともに考えていきましょう。

本書には5人の〝学びの達人〟との対談も収録しました。僕とはまた違った角度から、勉強や学びについて示唆に富む話をしていただいていますので、大いに参考にしてください。

本書が、さまざまな意味で学びについて考えるきっかけになれば、著者としては望外の喜びです。

みなさんの忌憚のないご意見をお待ちしています。

宛先：hal.deguchi.d@gmail.com

APU学長　出口治明

出口版 学問のすすめ ── もくじ

第2章——Chapter 2

第3章——Chapter 3

第1章——Chapter 1

人はなぜ学ばなければいけないのか

知らないことを知るとおもしろくなる

1948年4月、僕が生まれたのは三重県の美杉村（現在は津市に併合）で、育ったのは伊賀の上野（現在の伊賀市）でした。育った家の前には山があり、周囲には民家が4、5軒しかないような田舎でした。天気がいい日には4歳年下の弟といっしょに山に入って昆虫を捕まえたり、池で鮒を釣ったり、木に登って柿を食べたりといった生活をおくっていました。

たしか幼稚園の頃だったと思います。あるとき、ぼーっと空を見上げていたら、急に太陽のことが気になりはじめたのです。

「太陽って、星に比べたらえらくでかいな」

「あんなに大きかったら重たいやろな」

「なんで落ちてこないんやろ」

そこで親に尋ねたら、面倒くさかったのか、「これでも読んどき」と、ある本を渡してくれました。そこには、次のようなことが書かれていました。

「石に紐をつけてぐるぐる回してごらんなさい。落ちてこないでしょう？　この紐が万有引力というものです。万有引力があるから太陽や月は落ちてこないのです」

子どもなので、「万有引力」が何かはわからなかったのですが、たしかに紐に結ばれた石は上方にきても、ぐるぐる回しているかぎり下に落ちてはきません。それで、「あっ、本を読んだらなんでもわかるんだな」と思ったのです。本のタイトルはよく覚えていないのですが、これが僕の読書の原体験といっていいでしょう。

それからは、暇があったら学校の図書室に本を借りに行くようになりました。田舎の学校なので、それほど蔵書は多くなかったのですが、小学校、中学校、高等学校の図書室の本は、ほぼ全部読んだと思います。本を読めば、知らなかったことが一つずつわかるようになります。一つわかると、ますます本を読むことが楽しくなりました。ジャンルは関係なく、図鑑類から文学までなんでも読みあさっていましたね。

ただ、とくに好きだったのは理科系の分野です。本好きの人は、だいたい文学などの読み物からハマっていく人が多いと思うのですが、僕の場合は、「なんでこうなっているんだろう」という世界の仕組みに対する探究心、好奇心が、読書の原動力になっていました。

いまでも宇宙論や生物学、遺伝子、生態系、脳の話など理科系の本が大好きです。にもかかわらず、大学は法学部に進学しました。その理由をひと言でいえば、「自分は勉強したら、普通の人より少しはできるけれど、尖った才能は何もない」ということが、中学時代、高校時代を通じてわかってしまったからでした。

たとえば、僕は成長が早いほうでしたから、小学生のときは体がクラスでいちばん大きく、運動会ではいつもリレーの代表に選ばれていました。コーナーで他の選手を追い抜いたりすると女生徒が「キャー!」と喜んでくれるので楽しくなり、中学時代は一所懸命、陸上をやっていました。

でも、すぐにわかってしまったのは、陸上は明らかに才能の世界だということ。どんなに練習をしても記録が伸びないのです。100メートル競走でいえば、中学生の終わりごろになっても、11秒台が出ませんでした。12秒フラットが限界で、それ以上は伸びない。それでもクラスでは1、2番の速さでしたから、運動会などでは必ずリレーの選手には選ばれるのですが、俗にスプリンターといわれる人は、同世代でも楽々11秒台を出すのです。

つまり、僕の陸上の才能は、クラスの中では多少目立つものではありましたが、県大会には出られない程度の能力だったのです。

それで、中距離や長距離にもチャレンジしてみました。ところが、どれもそこそこは走れるのですが、いくらがんばっても県大会に出られるレベルにはなれません。やっぱり才能がないんだなと思いました。学業成績も同様で、三重県の一斉学力テストでは、一所懸命勉強したにもかかわらず、一度もトップ3には入れませんでした。たしか、4~5番くらいが自己ベストだったように記憶しています。

その残念な気持ちは、大学受験で進路を選ぶときにも少なからず影響を与えていました。

「僕のような突出したところがない人間は、将来、何を目指せばいいのだろう。得意なことがある人は、それが活かせる道を選ぶだろうけれど、なんの取り柄もない僕はどうしたらいいのだろう――」

そこで〝最もツブシが利くところ〟ということで法学部を選びました。その当時は、「法学部を選んでおけばなんとでもなる」といわれていたのです。さらに親が「お金はあらへんで」というので、「じゃあいちばん近くの国立大学の法学部に行こう」と考えました。

大学の学長としては、「将来どんなことをやりたいかを真剣に考えて、進学先を選ぶべきです」などといいたいところではありますが、これが事実なので仕方がありません。

出口式〝一夜漬け〟勉強法

そんな安易な経緯で、僕は1967年に大学に入ったわけですが、入学して早々に、大きなショックを受けました。都会から来たクラスメイトは、すでにマルクスやレーニン、トロツキーなどを読み込んでおり、大学の民主化や社会主義革命などについて熱い議論を交わしていました。当時は1970年安保闘争を間近にして、新左翼運動が盛り上がりつつあるタイミングだったのです。

ところが僕は理科系の本や文学は読み込んではいたものの、田舎の学校の図書室にはマルクスなど社会科学系の本はあまり置かれておらず、話題についていけませんでした。

「これはひょっとしたら自分は遅れているんじゃないだろうか」と思い、マルクス、レーニンから始めて、ヘーゲル、カント、デカルトとさかのぼって読んでいき、最後はプラトンまでたどり着きました。

当時は中央公論社の『世界の名著』（全81巻）が出されたばかりであり、『岩波講座　哲学』（第2次、全18巻）の刊行が始まったところでした。この両叢書と岩波文庫には本当にお世話になりました。そして1回生の前期の試験はものすごく勉強をしました。

といっても、僕の勉強法は小学生の頃から基本的に「一夜漬け」です。

「一夜漬け」というと、その場しのぎの、試験が終わるとすべてを忘れてしまうようなものと思われるかもしれませんが、そんなことはありません。僕は、一夜漬けこそがとても効率がよく、覚えたことを忘れない勉強法だと思っています。

では、その出口流勉強法を少し紹介しておきましょう。

まず大前提として、僕はもともと地道に勉強するタイプではありません。コツコツ勉強していくと、前に学習したことを忘れてしまうのです。ですから、試験の直前にまとめて勉強することにしました。

というと、「ああ、試験期間は寝ないで勉強して詰め込むんだな」と思うでしょう。ところが僕は寝ることが大好きで、長い睡眠時間を必要とするロングスリーパーです。とてもではないけれど、徹夜してそのまま試験に臨むようなことはできません。

勉強時間と睡眠時間の確保――。この相矛盾する要請をふたつともに解決するためには、どうすればいいか。

「今夜中に数学のテスト勉強をする」というようなあいまいな取り組み方ではなく、「ここからここまでを3時間で覚える」「この問題集を1時間でマスターする」などと短く区切って考え、決めた時間内に集中して必死で勉強したのです。

また、僕は授業中、あまりノートを取りませんでした。大事なことはノートに書くのではなく、教科書に書き込んでいたのです。なぜかというと、そうしておけば、テスト勉強をするときに、書き込み済みの教科書1冊を集中して復習すれば足りるからです。もしノートが別になっていれば、2冊読まなければなりません。それでは非効率だと考えたので、こういうスタイルにしたのです。

いま思うと、この勉強法のおかげで自然と集中力が身につき、物事を合理的に処理することを覚えたのかもしれません。

僕が現代最高の脳科学者だと思っている池谷裕二さんは、著書『受験脳の作り方―脳科学で考える効率的学習法―』（新潮文庫）の中で次のようなことを書かれています。

『脳は睡眠中に、情報をさまざまな形で組み合わせ、整合性をテストし、過去の記憶を「整理」してゆきます。（中略）寝ることは、覚えたことをしっかりと保つための大切な行為なのです。「テスト直前しか勉強しない。毎回徹夜だ」という人がいますが、睡眠を削ってしまっては、学力が積み上がっていくはずがありません。』

集中して勉強し、しっかり眠る——。徹夜ができないタチなので、仕方なくやっていたことですが、〝出口流一夜漬け〟は脳科学的に見ても、意外と理にかなった勉強法だったのかもしれません。

さて、大学の試験の話に戻りましょう。1回生の前期はきちんと勉強したおかげでいい成績がとれました。これを継続できていたら僕の人生も変わっていたかもしれませんが、すぐに生来の怠け癖が出てしまいます。

「なんや、大学って、別にたいしたことないんやな、高校と同じやな」と思ってしまったのです。そして、講義を受けてはみたけれど、「これは、つまらないな」と思ったものは出席もせず、いいかげんに流していました。

中学や高校でも、クラスに何人かは、常にどんな科目でもまじめに勉強していい成績をとる人がいますね。そういう人は大学でも全部の授業に出て、せっせと勉強をする。そのほうがいいに決まっていますが、僕は好き嫌いが激しかったのです。

好きな科目は「優」をもらいましたが、当然、「良」も「可」もたくさんありました。でも、落第さえしなければいい、と思っていました。

4回生になりゼミで発表したとき、担当の教授から「いい発表だったから大学に残らないか」と誘われましたが、成績が悪すぎて話が立ち消えになったことは、「はじめに」に書いたとおりです。

〝イン〟よりも大事な〝アウト〟

〝出口式勉強法〟について、もう少し書き加えておきましょう。

学長の仕事はけっこう忙しく、いまは週に2〜3冊くらいしか本を読めなくなったのですが、僕は原則として本を読むときにラインを引いたり、付箋を立てたりはしません。また、読書ノートのようなものは、生まれてこのかた一度も作ったことがありません。ラインをたくさん引いたりすると、引いたことで満足してしまい、その箇所に何が書かれていたか、かえってわからなくなってしまうと思うからです。

僕は歴史に関する著書などを少なからず出しているので、「ラインは引かないし、メモも取らない」というと、皆さん「信じられない」といわれます。細かいエピソードや年代まで覚えているのはおかしい。きっと秘かにメモしているのだろう、というわけです。でも、本当のことなので仕方がありません。

モノを覚えるとき、僕が実践しているコツは一つだけ。読んだり聞いたりしたことをそのまま覚えようとするのではなく、読み聞きしたことをもとに自分で考えて、考えた結果を他人に話すのです。

もちろん、内容が理解できるまで集中して読み込むことは大切です。〝出口流一夜漬け〟で身につけた集中力のたまもので、集中して読み込めば、僕は「どの本の、どのあたりに、どういうことが書かれていたか」を他人に話すことができます。でも、それだけでは足りません。集中して本を読み込んでも、内容を覚えていられるのはせいぜい1日か2日です。だから、覚えているうちに、読んだものについてアウトプットすることが、集中して読み込むのと同じくらい大切なのです。

たとえばおもしろい本を読んだら、僕は周囲の人に「こんな本読んだで」「これはおもろいで」というように、その本の内容やおもしろかったポイントを話します（まわりの人にとってはいい迷惑ですが）。誰かに会うたびにそういう話をするので、内容を覚えてしまうのです。

大学の講義も、聴くだけでは覚えられませんね。だから学生には、「人・本・旅で勉強して、感動したら友だちにしゃべりまくれ」と話しています。しゃべりまくるためには、聴いた話を自分が咀嚼して、自分の言葉で再構成しなければならないので、筋道を立てて覚えられるのです。

アウトプットすることが大事なら、読書日記をつければいいじゃないかという意見もありますが、それはあまり効果がないと思うのです。なぜならば、脳が無意識のうちに「これは日記やな」「これは自分用のメモやな」と思い込んでしまうので、いい加減なものになりがちだからです。

もし書くのであれば、Facebook、あるいはブログなどに投稿したほうがいいでしょう。一橋ビジネススクールの楠木建教授は、「本を毎日2冊読み、すべてTwitterに感想を書く」と公言して、「これは備忘録だ」とおっしゃっています。日記やメモと、Facebookやブログはどこが違うかといえば、読者の有無にあります。Facebookなどの場合、「この文章は誰かが読む」と脳が意識するので、整理のレベルが格段に上がるのです。

この「整理」のレベルは非常に大事なポイントです。整理されていないまま人に話しても、Facebookなどで発信しても相手に伝わらないので、受け取った情報をまず咀嚼をして、自分の頭の中で再構成するのです。

これを自分の部屋の掃除にたとえてみましょう。誰も遊びに来る予定がなければ、掃除は適当に済ましてしまう人が多いでしょう。一方、明日恋人が遊びに来るなら、誰でも一所懸命、部屋の掃除をやりますよね。自分用のノートや日記は、いわば誰も遊びに来ない部屋。Facebookやブログは恋人が訪ねてくる部屋です。「はじめに」で書いた「タンスの整理」と同じで、緊張感が全く違うのです。

友人に話すことは、さほどハードルは高くないので、物事を覚えるのが苦手な人はぜひ試してみてください。

常識を疑うということ

冒頭で、「太陽はでかいのに、なんで落ちてこないんやろ」と疑問に思った話をしましたが、僕は太陽だけではなくいろいろなことについて「なぜなんだろう」と疑問を持つクセがありました。

たとえば、中学生の頃にあこがれていたBC４世紀のアレクサンドロス大王は、アカイメネス朝ペルシャを滅ぼし、小アジア、エジプト、メソポタミアを支配下に置くと、中央アジアやインド北西部まで遠征して征服し、空前の世界帝国を築きました。

その話を読んで、「すごいな」と思うと同時に疑問がわいてきました。僕は小さい頃、腕っ節には自信がありよくケンカをしていたのですが、強いといっても、相手を5発殴ったら3発は返ってきます。つまり、結構ダメージを受けてしまうのです。だから、アレクサンドロス大王が約10年にわたって勝ち続けられたのはなぜか、そんなことが可能なのか、とても不思議だったのです。

そこで図書館の本を漁ってみると、「元気な兵士を本国から補充していた」という記述を見つけ、なるほどと腹落ちしました。

ところが今度は、「広大な版図の中で、アレクサンドロス大王とどうやって連絡を取っていたのだろう」という疑問がわいてきます。紀元前の話ですから、もちろん電話もインターネットもありません。そこで調べてみると、例えば、アカイメネス朝ペルシャがつくった「王の道」という幹線道路があって、アレクサンドロス大王はこれを使って、イラン南西部のスーサからトルコのサルデスまでの約7000キロを駅伝形式でつなぎ、通信に利用していたのです。つまり、アレクサンドロス大王はゼロからインフラを整えたのではなく、ペルシャ帝国をいわば乗っ取り、そのインフラをうまく利用して大帝国を維持していたことがわかりました。

本を読んで勉強をすればするほど、新しい疑問がわき起こってきます。大学の同級生にバカにされたのが悔しくて、マルクスやヘーゲル、カント、デカルトへとさかのぼって読んでいき、最後はプラトンまでたどり着いたことを紹介しましたが、この頃に「数字・ファクト・ロジック」「何よりもエビデンス」という考え方がほぼ固まった気がしています。

日本では2019年に刊行された『FACTFULNESS』(日経BP社)という本があります。サブタイトルに「10の思い込みを乗り越え、データを基に世界を正しく見る習慣」とあるとおり、思い込みによる勘違いに対して、データに基づいた真実を明かしていく内容です(なお、僕も『日本の未来を考えよう』[クロスメディア・パブリッシング]という同様の本を書いています)。

「数字・ファクト・ロジック」、「エビデンス」で考えることは『ＦＡＣＴＦＵＬＮＥＳＳ』に通じるところがあり、データを虚心坦懐に分析し、予断なく正しい判断をすることにつながります。それは、言葉を換えれば、巷間いわれている「常識」を疑うことでもあります。常識を疑うということはゴテゴテに修飾された「エピソード」ではなく、数字・ファクト（データ）をベースにしたエビデンスで考える、あるいは、何が原理原則かということを突き詰め、原点から考えることと言い換えてもいいでしょう。

２０１７年、フランス史上最年少の39歳で大統領に当選したエマニュエル・マクロンは、著書『革命』（ポプラ社刊）の中で、フランスの「原点」を明確に示しています。

マクロンは、著書の中で言葉の定義からすべての議論を始めています。フランス人については、「文化は言葉であり、フランス語を話す者は、フランスの歴史を託された者となり、フランス人となる」。つまりフランス語をマザータング（母国語）として話す人は、全部フランス人だと定義します。つまり、戸籍や住民票など、書類上の問題ではないのだと言い切っているのです。こういう明確な定義を見たら、「誰々は二重国籍だ」「誰々は在日だ」といったことを議論している日本が恥ずかしくなります。

マクロン風に日本人の定義を行ってみると、「日本人とは日本語をマザータングとして学んだ人であって、その人たちはすべて日本文化の担い手であり、日本の歴史を引き継いでいく者である」ということになります。日本社会の中で「日本人」の定義は揺れ動いていますが、マクロンの定義はとても明快で、しかも論理的で、かつ説得力があると思います。

また、マクロンはフランスについて、「国とは一つのプロジェクトであり、第五共和政は人々をいろいろな制約から解放することを目的としている」と定義し、「人々が好きなことをして、ご飯が食べられること」がフランスが目指す理想の姿だと、これも非常にシンプルでわかりやすい言葉で表現しています。

マクロンのこの見解に賛同するかどうかはともかく、物事を「根底から考える」ということ、そして「常識を疑う」ことについては、この本は最高のテキストだと思います。

翻って「日本人とは何か」「日本とはどんな国か」ということを、原点から考えている人が、現代の日本にどれだけいるでしょうか。ネットなどで入手した情報を、垂れ流しているだけの人が、圧倒的に多いのではないでしょうか。そういう時代だからこそ、「原点から考える」「ラディカルに(根本から)考える」ということが非常に重要になってくるのです。

新しい学習指導要領でも、「探求力」や「問いを立てる力」の重要性が指摘されていますが、同じことだと思います。

何一つ予断することなく、社会常識とされているものすべてを自分の頭で再構成する癖をつければ、思考力はより高まっていくでしょう。

街角を一つ曲がるだけでも立派な「旅」だ

僕は常日頃から、人間が情報をインプットするには「人・本・旅」の3つが大切であると思っています。ここで本以外のふたつについて、簡単に触れておきましょう。

「人から学ぶ」というと、何かを成した人、成功者から学ぶことを思い浮かべる人が多いと思います。しかし、必ずしもそういった人にばかり出会えるとは限りません。むしろ、そんな人に出会えるのは、人生において稀なことだといえるでしょう。

日常生活においては、自分から行動を起こさない限り、毎日同じような人と会い、似たような会話をするなど、大きな変化のない日々を繰り返すことになります。それだけに、いかに自分に刺激を与えてくれる人と出会うか――。人から学ぶには、その点が重要なポイントになってきます。

そのためには、「数多くの人と会ってみる」しかありません。興味をそそられる会合を耳にしたり、誰かに誘われたりしたら、まずはその場に出かけてみることをお勧めします。結果的につまらないものであったなら、早々に切り上げて退散すればいいだけの話です。ダメでもともと、という気持ちで、とにかくたくさんの人に会ってみましょう。

書店に行くと『人脈の広げ方』といった類いのビジネス書が並んでいます。人脈を広げるのはけっして悪いことではありません。ただ、その人脈を「漫然と広げていく」のでは意味がないと思います。自分にとっても相手にとっても有益なおつき合いができれば、その人との関係から多くの学びを得ることができるでしょう。

僕は、基本的に「その人といっしょにいると楽しいか、あるいはおもしろいかどうか」だけでつき合う相手を選んでいます。自分にはない考え方をする人、自分とは違う視点から物事を捉える人、逆に、趣味や興味が一致する人など、会っていて楽しいと思える人との交流は、何よりも勉強になります。

こういった人は、わざわざ探しにいかなくとも、意外に身近なところにいたりするものです。僕には会社員時代の上司で、いまでも親しくおつき合いをさせていただいている方がいます。つい先日も晩ごはんをごちそうになってしまいました。現役時代から仕事ができ、颯爽としていて格好がよく、いつも真似をしたくなるような先輩でした。皆さんの周りにも、そういった、思わず真似をしたくなるような先輩や上司がひとりやふたりは、いるのではないかと思います。

ライバルや恋人の存在もまた、自分を成長させるモチベーションとなります。「あいつにだけは負けたくない」と思えば、仕事や勉強だけではなく、趣味や雑学的な知識をも吸収しようとする動機になります。「好きな人と少しでも長く話がしたい」と思えば、その相手が興味を持っていることを、学んでみる気になるでしょう。誰しも、自分の好きなこと、興味があることを話題にされると会話が弾むものです。そしてそこには新たな発見があり、さらなる学びへとつながっていくのです。

旅もまた、学びの場です。日常から離れてどこかへ行くことは、その土地に五感で触れることを意味します。空気や水の違いを肌や舌で感じ、見たことのない景色や色彩を目にし、聞いたことのない音、触れたことのない風やにおいを感じる――。この、体に刻み込まれる未知の体験のすべてが、興味の導火線となることがしばしばあります。

なぜこの土地にはこういう料理があるのか、この国にはなぜこういった建築物が多いのだろうか――。興味の導火線に火がつけば、「なぜ」から始まる学びのきっかけが生まれてくるのです。

加えて僕は、何も飛行機や新幹線を使わなくても、旅は十分にできると考えています。吉行淳之介のエッセイに『街角の煙草屋までの旅』という作品があります。彼はこの中で、ヘンリー・ミラーの「ディエップ=ニューヘイヴン経由」という小説から次のような引用を行っています。

「私たちが飲み屋や角の八百屋まで歩いて行くときでさえ、それが、二度と戻って来ないことになるかもしれない旅だということに気が付いているだろうか。そのことを鋭く感じ、家から一歩外へ出る度に航海に出たという気になれば、それで人生が少しは変るのではないだろうか」

(『吉行淳之介全集　第13巻』新潮社)

さらに、このミラーの小説から吉行は、「ここに引用した部分を私の都合のいいようにねじ曲げると、『街角の煙草屋まで行くのも、旅と呼んでいい』ことになる」と解釈しています。いつも通っている煙草屋までの道であっても、目のつけどころによっては、旅しているときと同じような発見があるというのです。僕も全く同感です。

ビジネスパーソンならば、たとえば取引先で、普段の職場では目にすることができないシーンを見ることもあるでしょう。それを漫然と見て終わるのではなく、自分の職場とどこがどう違うのか、書類やデータで知っていた「机上の資料」と実物がどう違うのかを、五感をフルに活用して感じることもまた、新たな学びへとつながっていくと思います。

勉強は、すればするほどおもしろくなる

この本のタイトルは「出口版 学問のすすめ」ですが、ベースとなったウェブマガジンの連載タイトルは「死ぬまで勉強」です。

歴史上の人物を調べてみると、「偉人」といわれる人はあまねく生涯をかけて勉強し続けています。ナポレオン・ボナパルトは、生涯を終えることになる流刑先のセントヘレナ島で英語の勉強にいそしんでいたし、江戸時代の国学者・塙《はなわ》保《ほ》己《き》一《いち》は、盲目ながら生涯をかけて『群書

類従』『続群書類従』を編纂しました。近いところでいうと、長く中央大学で教鞭を執ったハイデッガー研究の第一人者・木田元は、亡くなる直前まで若い人を集めて外書講読を行っていたそうです。

ほかにも北宋の名宰相、王安石など、死ぬまで勉強を続けた偉人は枚挙に暇《いとま》がないほどですが、僕がとくにすごいと思うのは東晋の僧の法顕《ほっけん》です。法顕は仏典を求めて399年にインドに赴きますが、このときすでに60歳を超えていました。中国に帰ったのは412年ですから、75歳のときです。

法顕は、「仏教で世の中を救いたいけれど、まだまだ自分は勉強が足りない」という思いからインドに勉強に行こうと考えました。10人の僧が同行したそうですが、亡くなったりして次々と離脱し、帰着したときは法顕ひとりになっていたそうです。その使命感と、それほど大変な思いをしても「勉強したい」と意欲を燃やし続けたことに、感動を禁じ得ません。

法顕より250年くらいあとになりますが、同じく仏典を求めてインドに行った玄奘《げんじょう》三蔵の勉強にかける情熱にも並々ならぬものがあります。当時は唐が成立したばかりで国情が不安定なため、出国の許可が下りなかったにもかかわらず、「インドの大学に行って勉強したい」という思いを抑えられずに、禁を犯して出国。最終的にはナーランダ大学で学んで多くの経典を持ち帰り、帰国後はそれを翻訳して「世の人の役に立ちたい」という思いを実践しました。

また、世界的ファッションデザイナーのココ・シャネルも、生涯学び続けた人です。孤児院で育った彼女は、裁縫の仕事をしながら歌手になることを夢見ていました。やがて歌手はあきらめますが、手すさびに製作していた帽子のデザインが認められ、パリ市内に店を開くことに成功します。その後、香水や、スーツ、バッグなどのデザインが評判を呼び、世界的ブランドにまで成長したことはご存じのとおりです。

彼女は自社の社員たちと対立して一時引退に追い込まれたり、ナチスへの協力者として指弾されたり、亡命生活を送ったりという波乱の半生を経て、終の棲家となるパリのホテル・リッツに落ち着きます。そこで、次のような言葉を残しています。

「私のように大学も出ていない歳をとった無知な女でも、まだ道端に咲いている花の名前を一日に一つぐらいは覚えることができる。一つ名前を知れば、世界の謎が一つ解けたことになる。その分だけ人生と世界は単純になっていく。だからこそ人生は楽しく、生きることはすばらしい」

ココ・シャネルは自分の才覚のみで身を立てた人物です。その過程で、最高の教育を受けた貴族をはじめとするさまざまな人々と交流を持ち、「自分は何も勉強していない」ということを身をもって知り、だからこそ自分を磨こうとしたのではないでしょうか。

僕はシャネルのように、「知りたい、わかりたい」という衝動が「勉強」を促し、そういう精神の在り方が教養に繋がると考えています。

さて、「偉人」と呼ばれる人たちが、あまねく勉強し続けていたことは、先ほど説明したとおりです。でも、無名でも勉強する意欲を持っている人は少なくありません。というより、ほとんどの人は環境さえ整えば、自分を磨こうとするのではないかと僕は思います。なぜなら、そのほうがはるかに人生が楽しいからです。

そしてそれは、年齢や性別を問いません。学生や社会人はもちろん、現役を退いたシニアでも勉強を続けることができます。

たとえば、僕の大学時代のクラスメイトに、会社をリタイアしてから京大文学部大学院の聴講生になり、中国の古典を学んでいる友人がいます。彼は僕と同じ法学部の出身で、第二外国語に中国語を選択するなど中国文化に興味を持っていたのですが、大学卒業後は普通の会社に勤めていました。ところが定年で退職すると、中国語熱がぶり返したらしく、知り合いの教授に個人的に頼み込んで聴講生にしてもらったとか。「宿題が大変や」といいながら、楽しそうに25歳前後の学生と机を並べているのです。

同じく、一般企業で定年まで勤め上げたあと俳句を勉強しはじめて、いまでは同人誌の編集長をしている友人もいます。だから、チャンスさえあれば、誰しも学びたいという気持ちを抱いているのではないかと思うのです。

そもそも、「勉強？　めんどくさいからイヤや」という人は、意外と少ないのではないでしょうか。

文化庁が発表している「国語に関する世論調査」(2018年度。なお、この調査は毎年行われているが、読書に関しては5～6年に一度実施)によると、16歳以上の男女で「1ヵ月のうちに1冊も本を読まない」人が47・3%、「1～2冊」と答えた人が37・6%で、合計すると約85%に達します。しかも「読書量が減っている」とする人が67・3%もいるのです。

第2章でもう一度触れますが、日本の正社員の労働時間は約2000時間で、1400時間の欧州と比べると600時間も多いので、読書を含めた勉強に充てられる時間が限られるのも止むを得ません。600時間は、1年で200日働くとすると1日当たり3時間に相当します。働き方の改革を行わなければ、勉強はできないのです。

これも第2章で触れますが、日本では年齢に関係なく社会人が学びやすい制度を整えている大学は、まだまだ限られています。そういう状況に置かれたら、誰が勉強しようと思うでしょうか。日本人は勉強が嫌いなわけではなく、勉強する環境が整えられていないだけだと思います。

ココ・シャネルのいうとおり、人は勉強していろいろなことがわかってくれば、人生は楽しいと感じる生き物です。それができる環境さえあれば、少なくとも半分くらいの人は勉強を始めるでしょう。そして、多くの人が勉強するようになると、彼らに引っ張られて残りの人たちも学びはじめるのです。

その一例が、海外の大学における「ダブルマスター」「ダブルドクター」です。アメリカなどの大学でマスターコースに進む人は、学位を複数取ることが珍しくありません。それは「意識が高いから」というよりも、「みんながチャレンジしているから」です。みんなが複数の学位に挑戦していると、つられて「自分もやろう」となるのです。

僕の友人でハーバード大学医学部の大学院に行った日本人がいます。彼は「2年間、のんびりやろう」というつもりでアメリカに渡ったそうですが、いざ行ってみたら、クラスメイトから「お前はほかにどこに行っているんだ?」と聞かれたそうです。「いや、ここだけだよ」と答えたら「怠けものだな」と笑われてしまいました。そこで、あわてて他の大学院を探したものの、ときすでに遅く、唯一受験できたのはある音楽大学の指揮者を養成するコースでした。仕方がないので彼はそこに入り、医学と音楽のダブルマスターを取って帰ってきたのです。

日本では、複数の専攻で学ぶ人はごく少数です。それは、社会人が勉強する環境が整っていないのと同じように、複数の専攻で学ぶという環境がないからです。ハーバードに留学した友人のように、一つの専攻だけで満足していると「おまえ何を遊んでいるんだ」といわれてしまうような環境になったら、嫌でもそれが新しい日本のスタンダードになっていくでしょう。

学びのスペシャリスト対談──1

ハマる門には福来たる!?

集中力の正体は「鈍感力」だった!!
自分の世界にどっぷりハマれる人が
世界を制する──かもしれない。
勉強、作業、仕事──
どうせ何かをしなければいけないのならば、
つまらない顔してするより、
どっぷりハマってしまおう!

池谷裕二 Yuji Ikegaya

1970年、静岡県藤枝市生まれ。東京大学大学院にて薬学博士号を取得。東京大学薬学部助手、コロンビア大学生物科学講座・客員研究員などを経て、2014年より東京大学薬学部教授。「ERATO脳AI融合プロジェクト」の代表でもある。主に海馬や大脳皮質の可塑性について研究しており、その知見に基づいた一般向けの著書は大きな人気を博している。主な著書は『海馬』(糸井重里氏との共著。新潮文庫)、『脳はみんな病んでいる』『脳はこんなに悩ましい』(ともに中村うさぎ氏との共著。新潮社)、『進化しすぎた脳』『自分では気づかない、ココロの盲点 完全版』(以上、講談社ブルーバックス)、『パパは脳研究者』(クレヨンハウス)など。

「人間の未来を見通す力は、たかだか知れていますね」

池谷裕二——Yuji Ikegaya

「だから、学者のいう悲観論は、だいたい外れているんです」

出口治明——Haruaki Deguchi

出口治明 僕は池谷先生の大ファンで、書かれる本はほとんどすべて読ませていただいています。一つ質問があるのですが、『進化しすぎた脳』などでは「人間の脳は何万年も進化していない」と書かれています。一方、中村うさぎさんとの共著『脳はこんなに悩ましい』の中では「人類のＩＱは、世界的に、過去10年ごとに2～3％ずつ上がっている」と書かれていました。これはどのように理解すればいいのでしょうか。

池谷裕二 ＩＱの向上は、遺伝的な進化というよりも、教育や環境の変化によるものです。現在の教育は、まず頭の良さを定義して、その定義に沿った教育を幼稚園から大学まで継続します。しかも世界的にです。その結果、教育成果の一つの指標であるＩＱが向上したというわけです。脳自体は何も変化していないけれども、テストで点数を取るのがうまくなったのです。

おそらく言葉を持っていなかった時代の人たちも、知能的にはいまと変わらなかったはずです。ただ、ツールがあると考え方が変わります。たとえば、数字が発明される前と後では量に対する考え方も違うだろうし、クルマが発明される前と後では移動の概念も異なるでしょう。

単純に考えれば、現代人のほうが言葉を持たない時代の人間より進んでいて賢いはずだと思われるでしょうが、それはモノの見方の枠組みが違うだけ。現代人には現代の、昔の人には昔の〝スコープ〟があるというだけで、知能に差はありません。

出口 つまり脳の構造は同じだから、時代背景という一種のバイアスを僕らが理解すれば、当時の人々の考え方を理解できるということですね？

池谷　はい。僕は歴史学や考古学の使命もそこにあると思っています。当時の時代背景を頭の中で再現して、「なるほど、だからこのとき、こんな決断をしたのか」と納得することができる。そうすると、次は「未来に対しても、いまのスコープで測ってはいけないな」ということもわかってきます。人間はいまの尺度で未来を測りがちですが、それはだいたい間違っていますから。

出口　それで思い出した話があります。僕は伊賀の田舎で育ったのですが、石油ストーブが我が家にやってきたのは中学生の頃でした。それ以前は、親父といっしょに山に入って木を伐り、薪をつくっていました。薪割りが大変で、石油ストーブが来たときは、「こんな便利なものはないな」と感激しました。

　ところが、学校で「石油はあと30年で枯渇する」と習った。そのとき僕は中学3年生で15歳だったので、「ああ、45歳になったらまた山に行かないとあかんのやな」と思ったものです（笑）。

池谷　人間の未来を見通す力って、その程度ですよね。実は、そもそもどうして石油ができるのか、本当にあれは化石燃料なのかということすらわかっていません。ですから、あとどれだけ埋蔵されているのかを「推測できる」という前提を置くこと自体が、いかにも人間らしい傲慢さです。

　推測、予測といえば、ガン患者の平均生存率も、ひとたび発表されると数値だけが独り歩きして、不思議な影響力を放ちますね。

ガンの10年生存率が計算されはじめたのはわりと最近で、みなさん、その数値に一喜一憂します。でも、よく考えてみると、10年生存率の計算の対象になった患者さんたちが受けた治療は、少なくとも10年以上は前のものです。統計を精査するにも時間がかかるので、ざっくり15年前の医療技術で治療された場合の10年生存率が算出されているとみていいでしょう。

10年あれば医療はずいぶんと変わります。10年前には助からなかった患者でも、いまなら助かる人はたくさんいます。ですから、15年も昔の医療技術をベースに、いまから10年後の未来を予測するのはおかしな話でしょう。じつに25年もの時間差があるのですから。

本来なら、現在の技術をベースに、10年後はどうなるかということを考えなければいけません。

出口　人間の脳はそれほど賢くはないので、現在の延長線上にしか未来を見ることができません。だから、歴史を見ると、悲観論はいつも外れているのです。

たとえば18世紀に『人口論』を書いたマルサスは、食料供給量より人口増加率のほうが大きいと考えて、社会は貧困に向かうと予測しました。でも、実際には技術が進化して食料供給量が増え、人口の増加を十分に賄うことができました。

学者など頭がいいと思われている人ほど、物事を悲観的に見がちなのですが、そういう説はこれまでは当たったためしがないのです。

池谷　たしかにそうですね。でも、ときに楽観論はあまり賛同してもらえないところもあります。

極端なのが原発問題です。原子力発電は、いまの段階では圧倒的に「悪」だと考えている人が多いでしょう。僕自身も、いまの原子力発電の技術にはまだ問題があると思います。でも科学が進歩すれば、核廃棄物が簡単に処理できるようになるかもしれません。そうすると、天地がクルッとひっくり返って、「なんであのとき、揉めていたんだろう？　原子力は安価でクリーンなエネルギーなのに」といわれるようになっている可能性もあります。

本来、技術はじわじわと発展するのではなく、階段状にステップアップするものです。だから1階にいるいまの人たちには2階の世界が見えません。ところが出口さんの表現をお借りすると、人間は現在の延長線上で未来を見るので、「1階の常識」で物事を判断してしまう。

その一方で、1階に住む市民の常識を「わかっとらんな」と一概に無視することもできないとも感じています。

たとえば「テレビを観るときには×メートル離れなさい」といわれますね。でもこの言説には、科学的根拠はありません。本やスマホの画面はあんなに近くで見ているのだから、テレビだけがダメだということはありえない。「北枕で寝てはいけない」「夜、爪を切ってはいけない」と同じ類いの迷信です。

でも、「テレビは離れて観る」ことが社会のマナーになっているので、僕もそれに従っています。民意に背くのは、とてつもなくエネルギーを使いますから。

出口 それは、生きていくうえで、社会的なコストを無駄にかけないための知恵の一つでしょうね。世の中には根拠がないことはたくさんあって、それに一つひとつ「それは違うで」と反論していくと、膨大な時間と労力がかかります。余裕があれば、それでもいいのですが、人生は有限。エネルギーはできるだけ自分の好きなところに注ぎたいですよね。

池谷 そうですね。「科学的根拠はこうですよ」と正しい情報を発信しても、なかなか世論は変えられません。一方で、「正論大好き」な人もいて、細かな間違いも正そうとしてしまう。僕はどっちもどっちだと思っていて、性格的にはズルいタイプなのですが、そこに労力や時間を割くなら、学術や科学の進歩、そして自分自身の家族に愛情を注ぐことにエネルギーを使いたいという思いがあります。

出口 歴史を見ていると、どうしても抗し難い時代の流れがあることがよくわかります。ですから、人は川の流れといっしょに流れていくしかない、反抗してもしゃあないでと。

池谷 どうせ流れていくなら、川のまわりの風景を楽しみたいですよね。大切なところでは逆らって泳ぐかもしれませんが、それ以外のところでは、ああ、こんなところに美しい風景があるじゃないかと楽しくご機嫌に流れていったほうがいいと思っているのです。

「脳科学の発展で、世の中から
哲学が消えようとしているのでは？」

出口治明——Haruaki Deguchi

「それでも、精神のよりどころ
としての哲学は必要だと思います」

池谷裕二——Yuji Ikegaya

出口　池谷先生をはじめとする科学者の皆さんの研究のおかげで、脳に関する知見は大きく発展してきたと思います。ただ、極端な言い方をすると、僕はそれによって世の中から哲学が消えようとしているのでは？　と思ったりするのです。

かつてはカントやヘーゲルが「世界はこういうものである」と大風呂敷を広げて、それを聞いた人たちが「へぇ〜」と感心していましたが、科学、なかでも脳科学がさまざまなことを解明して、大風呂敷を広げる余地が少なくなったのではないかと思っているのです。

池谷　そうですね……いまダイバーシティの考え方は極限に達していて、「あなたはそう考えるのね。それでいいでしょう。けど、僕は違う」という風潮になっています。脳科学的に見ると、脳の活動は人によって違うので、考え方が一人ひとり違うのは当たり前。同じものを見ていても認識のパターンが違っている、人によって世界観そのものが違うということが証明されているのです。そうであるなら、「世界はこういうものである」と大風呂敷を広げる意味はない、ということになりそうですね。

でも、ちょっと待ってほしいのです。僕は科学をやる者として、大風呂敷にすがりたい気持ちは抜けないんですよ。

出口　なんとなくわかる気がしますね。

池谷　僕の中で、科学のイメージはワイングラスです。大きな器の中に液体がなみなみと注がれていて、それを細い脚が支えています。脆《もろ》く危ういのです。一見、安定しているように見えるのですが、脚がポキンと折れてしまったとき、初めて自分が立脚していたものの脆さに気づく。そして、時すでに遅し――。

そんなときに僕をやさしく包んでくれるものが欲しい。いわば保険です。それは何かというと、やはり懐の深い大きな世界観を持つ哲学なのかなと。専門の方には怒られそうですが、僕はそれを一種の宗教だと捉えています。

精神は脳が生み出した幻覚にすぎませんが、だからといってないがしろに扱うことはできません。よりどころとしての精神は、人が生きるうえで絶対に必要です。妄想や仮想でいいから、何かにすがりたいと思ったとき、僕の場合は、どちらかというと仏教とかキリスト教ではなくて、哲学をよりどころとしたい、という気持ちはあります。

出口　ただ、いまの時代、大風呂敷を広げるには、ファクトをいちいちチェックしてから広げないと、誰も信じてくれません。そういう難しさはあるでしょうね。

池谷　おっしゃるとおりですね。人間は自分の脳で考えざるを得ませんが、その能力には限界があります。しかも、自分の脳の性能が低くて気に入らないからといって、ほかの脳に取り替えるわけにもいかない。だからいまの自分の脳と一生つき合わざるを得ない運命にあります。

でも、その事実をあまり悲観的なものとさせない、つまり、「脳なんてそんなものなんだよ」「それでいいんだよ」と教えてくれる、あきらめさせてくれるのが最近はありますよね。たとえば、コンピュータや人工知能（ＡＩ）です。

例をあげましょう。19世紀以来、学者の頭を悩ませていた問題に「四色定理の証明」があります。隣り合った領域を別の色で塗らないといけないとすると、何色必要か、というものです。いかなる地図も4色あれば塗り分けられることは経験的に知られていたのですが、長いあいだ、誰もそれを数学的に証明できませんでした。ところがいまから約40年前、考えうる約2000種のパターンをコンピュータを使ってしらみつぶしに試し、やはり4色あればいいことが証明されました。

その証明には、人間にはとてもできない複雑な計算も含まれていました。人間の脳の処理能力では証明できないことを、コンピュータが代わりにやってのけたわけです。

僕の中で衝撃だったのは囲碁です。人間同士が対局している碁と、AI同士が対戦している碁では、同じルールで戦っているはずなのに、打つ手が全く違う。人間には理解できないレベルで対戦し合っていたんです。

出口 アルファ碁は、まさにアルファ碁同士を対戦させることで強くなったんですね。僕がいちばん驚いたのは、アルファ碁は序盤の大局観が圧倒的に優れていること。僕は最初、「コンピュータは細かい計算ができるから、詰めや寄せが強いんだろうな」と思っていました。しか

※アルファ碁(AlphaGo)――Google DeepMindによって開発されたコンピュータ囲碁プログラム。2015年10月にプロ棋士をハンディキャップなしで撃破。2017年5月には、世界トップ棋士である柯潔との三番勝負で3局全勝をあげた。この勝利を機に、アルファ碁は人間との対局から引退した。

し、囲碁の強い知人に聞いたら、「アルファ碁の強みはディテールより大局観」だというんです。

池谷　そう、アルファ碁が優れているのは直感です。囲碁の場合、次はどこに石を置くかという選択肢が将棋と比較にならないくらい多いので、しらみつぶしに計算すると、コンピュータといえど1億年くらいかかってしまいます。それを数分で判断するということは直感を働かせているということだし、その精度が非常に高いということです。

出口　ただ、想定する範囲が人間よりはるかに広いので、人間の大局観とはレベルが違うんですね。ＡＩからすると、プロ棋士同士の対局も、「幼稚園児が一所懸命、がんばって碁を打っているね」というように見えてしまう。

池谷　おっしゃるとおりです。一方で、「コンピュータ同士の囲碁は美しくない」という人もいるのがおもしろいですね。先ほどの四色定理の証明は、しらみつぶしにやっただけだから、数学者からすると証明の方法が全く美しくない。単なる力業で、汚いと感じます。

数学には「美しい証明」ってあるじゃないですか。力業でしらみつぶしに計算するのではなく、緻密にロジックを組み立てて、エレガントに正しさを証明するような――。そう考えると、その美しさ、スマートさを感じとる、美的感覚ってなんだろう。人間はどんなものを美しいと考えるのだろう、ということが気になってきます。

そこで先ほどの話に戻りますが、僕が哲学にすがりたくなるのは、哲学が打ち立てる世界観に、美しさの極限、美の究極を感じるからなんです。もちろん人間の脳で考えられる範囲での美しさですが。

出口　人間は、自分が理解できる範囲でしか物事を考えられませんからね。たとえば宇宙に関する研究も、人間の目線で考えてしまっている。

池谷　そうですね。人間が宇宙を理解しようとするのではなく、「人間が理解するために宇宙が存在する」という本末転倒な理屈を「人間原理」といいますが。

そういうことを、いまわれわれに叩きつけているのが、まさにＡＩです。２０１８年、ＡＩを用いた画像診断装置が、はじめてアメリカの食品医薬品局（ＦＤＡ）で承認されました。網膜症を調べるものです。

その患者が網膜症かどうかは、普通は医者が最終判断して処方箋などを書きますね。ところが新しい基準では、ＡＩが「網膜症」と判断したら、医者がいなくてもそれが結論になる。看護師や臨床検査技師が「網膜症ですね」と診断してしまっていいことになったんですよ。

つまり国家が、医師よりＡＩのほうが正しく診断できると公式に認めたことになります。でも、アルゴリズムなどを詳しく見てみても、なぜＡＩがその画像を網膜症と診断したのか、根拠はよくわかりません。「理由はわからないけど、あなたは高い確率で網膜症ですよ」といわれて、はたして人は納得できるのか――。人間の脳の理解を超えたものが示されたときに、僕たちがＡＩと人間のどちらを信頼するかという問題は、これから大きなテーマになっていくと思います。

「そもそも〝集中力〟の正体は何ですか？」

出口治明——Haruaki Deguchi

「実は〝鈍感であること〟です」

池谷裕二——Yuji Ikegaya

出口　ところで、池谷先生は小学生の頃、何になりたかったのですか？

池谷　小学校を卒業するとき、将来の夢を書いてタイムカプセルに入れる企画がありました。僕は夢らしい夢を何も持っていなかったのですが、締切に追われて、苦し紛れに「医者」と書いた記憶があります。でも実際は何も考えておらず、正月、親戚が集まったときに「裕二くん、何になりたいの？」と聞かれて、「天皇陛下」と答えたこともありました（笑）。

もっと小さい頃は、エジソンの伝記を読んでは「僕は発明家になりたい」、アインシュタインの伝記を読んでは「科学者になりたい」といっていましたね。

研究者の道に進もうと思ったのは、遡って考えてみると、小学校の頃かもしれません。出口さんは、中学生のとき家に石油ストーブが来た、とおっしゃってましたが、僕の実家も田舎で、当時はガスも上下水道もなかった。水は地下水をポンプで吸い上げて、下水は衛生車。家の外に出れば、近くの川にはヤゴがいて、初夏にはヘイケボタルが飛ぶという自然豊かな環境でした。

そうした環境にいると、未来のことを考える暇なんてないんですよ。目の前の世界が眩しいくらいに輝いている。外に出たら「ここにアリ地獄がある」「今日はヒヨドリが飛んでいる」と毎日何かを見るのに忙しくて。謎に挑むことが科学だとしたら、とても小さい科学ではありましたが、当時から漠然と科学をしていたのかもしれません。

出口　いろいろな謎に挑む中で、脳を研究しようと思われたのはなぜですか。

池谷　強い目的はありませんでした。自分の特質を考えると、研究対象がどんなものでも楽しめたと思いますが、よりおもしろそうなほうをなんとなく選び続けていたら、いつのまにかここにいたという感じです。

僕はオタクですから、ハマるときはなんでもハマってしまい、抜けられなくなるタイプです。その対象が、たまたま脳だったということです。そして脳にハマってよかったと思います。後悔は一切ありません。

他にも楽しい分野はたくさんあると思います。が、脳には未解明のフロンティアがたくさんあって、研究のやりがいがあります。

出口　脳の構造や機能について、いちばんわかっていないのは、どんなことですか？

池谷　いちばんは「心脳問題」ですね。心や感情、色が見えるなどの知覚、感覚、認知、意識、意思。そうした精神機能と、脳や神経細胞という物理化学装置をつなげることが、全くできていないのです。

たとえば、話しているときに大脳の言語野が活動することはわかっています。ただ、言葉って、もっと抽象的な感覚も含んでいますね。「痛い！」と言ったときに感じる生々しい感覚など。こうした精神的な時空と、言語野の神経活動とのつながりが全く見えていません。

他にも未解明な問題はたくさんありますよ。もっとシンプルなところでは、脳の発達の仕組みはわかっていない。脳にはなぜ皺《しわ》ができるのかもわかりません。なぜ神経細胞が生まれて、どうして適切な相手と結びついているのかもわかっていません。

神経細胞は他の神経細胞とシナプスをつくって結びつきます。このとき適切な相手と結合しないと、脳は正常に機能しなくなります。でも、神経細胞の数は数千億個、思考や記憶など高次の処理を司る大脳皮質だけでも約140億個といわれています。その中から適切な相手を見つけるのは、「九十九里浜の砂粒の中から、1粒だけ適切なものを探しなさい」というようなものです。なのに脳はそれをやってのける。その仕組みはまだ不明です。

出口　なるほど、脳の分野はフロンティアだらけだということですね。それはやりがいがありそうです。

では、いまわかっていることについて2、3うかがいたいのですが、まず母語と第二言語についてです。

人間が物事を考えるときには母語を使っているので、僕は国語を大事にしなければいけないと考えているのですが、とある先生から、「いや、たとえばハンナ・アーレントの思想を理解しようと思えば、ドイツ語を勉強したほうがいいのでは？」と指摘されました。母語以外の言

※ハンナ・アーレント――(1906〜1975)ユダヤ系ドイツ人で、ナチスの全体主義について研究した哲学者。ナチスの親衛隊将校だったアドルフ・アイヒマンの裁判を傍聴し、「彼は命令に従っただけ」とする記録を発表したところ、「アイヒマンを擁護している」と批判された。それに対してアーレントは、「最大の悪は、動機も信念も悪意もない、平凡な人間が行う悪だ」と反論した。詳しくは多数日本語訳されている著作や、映画『ハンナ・アーレント』を参照。

語を深く勉強すれば、人間はその言語でも考えることができるようになる。母語と第二言語のあいだに、絶対的な差異はないのではないか、というのです。

脳科学的には、どちらが正解ですか？

池谷　第二言語として英語を学び、非常に流暢に話せるようになった日本人がいたとします。その人が第一言語である日本語と、第二言語である英語を話しているときの脳の様子をｆＭＲＩで調べると、使っている場所が違うことがわかります。ですから、「どちらの言語で考えても同じ」とはいえないでしょう。

もう少し詳しくいうと、実は流暢に英語を話す日本人も、脳の中では第一言語の脳、つまり日本語の脳を使いながら、第二言語の回路を活性化させて話しています。当の本人は「いちいち頭の中で和訳などしていない」というかもしれませんが、思考そのものは無意識のうちに日本語でやっているのです。

それればかりか、第一言語の基盤がしっかりしていないと、第二言語――この場合は英語でも上手に考えられない。日本語でたどたどしいことしか言えない人が、英語になったら急にかっこよく流暢に話せた、なんていうことは絶対にありません。

第一言語と第二言語のあいだに差はないとおっしゃった先生は、ひょっとしたらバイリンガルに近いのかもしれませんね。10歳より若い時期に母語以外の言葉を学ぶと、どちらの言語も第一言語として脳に入ります。10歳以降に外国語を習得した場合は、第二言語として母語とは違う回路に記録されるのです。

出口　もう一つ、われわれはよく「集中力を高めなさい」と要求されることがあります。テストでいい成績をとるにも、仕事で成果を挙げるにも大事なことだとは思いますが、集中力とはそもそも何でしょうか。

池谷　集中力の正体は、意外に思われるかもしれませんが、鈍感であることです。

日常生活では、物音がしたり、話し声が聞こえたり、スマホの画面が目に入ったりしますね。こういう、集中力をそぐものをディストラクターといいますが、それを無視する力が集中力です。野生動物なら、身を守るため、エサをとるために、ディストラクターに敏感に反応しないといけません。自分の命を狙う肉食動物の気配を無視して、目の前の草に夢中になっていてはマズいわけです。

ところが、人間の社会では、これとは正反対のことを要求されています。「目の前の仕事に集中しなさい！」とね。

同じ文字をずっと見続けていると、「どうしてこの文字はこんな形をしているのか」と感じはじめて、その文字を正しく認識できなくなる「ゲシュタルト崩壊」という現象があります。普段からゲシュタルト崩壊ばかり感じてたら、それこそ日常生活が送れなくなってしまいますが、その一歩手前の、ディストラクターや現実をシャットアウトした状態が、集中力が高まった状態です。

出口　僕は特別な才能が全くない人間なのですが、あえて一つだけあるとすれば集中力かもしれません。

そのおかげで、おもしろい本を読んでいると地下鉄はよく乗り過ごしますし、このあいだは新幹線でもやってしまいました。まあ、新大阪で降りなければいけないところを、新神戸まで行ってしまっただけだったのですが。

池谷　ははは、僕も地下鉄ではよくあります。まわりの景色が見えなくなり、音が聞こえなくなるんですよね。それはシャットアウトする力、鈍感力です。先ほど話に出た、ハマる力と同じです。

出口「集中力」というと、特異な才能のようにも感じられますが、「鈍感障害」という表現もできますね。もちろん、「鈍感障害」といっても異常があるということではありません。同じものを見ても脳は一人ひとり違う捉え方をするということでいえば、正常・異常という考え方自体が成り立たず、ただ相対的な多数派か、少数派かという違いがあるだけですよね。

池谷　それはいいですね。僕はすぐムキになって、まわりのことが見えなくなってしまうので、あきらかに鈍感障害ですよ。

「僕の哲学の基本的な知識は、
大学1年の頃に学んだものです」

出口治明——Haruaki Deguchi

「18、19歳で学んだことは、その後の
人生に大きな影響を与えます」

池谷裕二——Yuji Ikegaya

出口　ある方にうかがったのですが、人間が好奇心を持って、やりたいことをやる癖や習慣が身につくのは、18～19歳頃がピークだそうです。大学初期までにそうした習慣を身につければ、社会人になってからも勉強し続ける。上司から見ても、そういう部下はかわいいから、やがて出世して生涯給与も高くなると。

池谷　なるほど。脳科学的にどうかはわかりませんが、経験則として、とても納得できる話です。東大の学生のほとんどは、高校の頃受験勉強ばかりしてきました。大学に入るとそこから解放されて、自分の好きなことに熱中しはじめる学生もいます。受験勉強で燃え尽きたり、合格したことに満足して遊んでばかりいたりする学生に比べて、自分の好きな勉強を始めた学生は、その後も優秀ですよ。

僕も大学に合格してからは、「自分の知らないことをもっと知りたい！」という意欲が爆発しました。当時はとにかく文学を読みたくなって、『源氏物語』やダンテの『神曲』を読んだり、『ツァラトゥストラはかく語りき』に原語で挑戦したりしていました。いま振り返ると当時はぜんぜん理解できていなかった気がしますが、それでも「こんな世界があったのか！」とむさぼるように読んでいました。

出口　僕もそうです。本は昔から好きでしたが、大学に行くと、田舎の高校の図書館にはない本がたくさん置いてあって、まずマルクスにハマりました。するとヘーゲルが読みたくなる。ヘーゲルを読むとカント……というように、結局プラトンまで遡りました。

そのとき夢中で読んだのは、中央公論社の「世界の名著」シリーズ。先ほど少し哲学の話をしましたが、実は哲学に関する基本的な知識は、このシリーズなどで大学1回生のときに読んだ本から得たものがほとんどです。あのとき学んだものが、いまだにある程度は使えるからおもしろいですね。

池谷 全く同感です。僕も高校から大学2年生くらいまでに得た知識が、いまの自分を形づくっていると思います。社会人になり、自分から発信するようになってから言っていることって、あの頃得た知識にちょっと色づけしたものだったりするんですよね。

振り返ってみると、18、19歳で学んだことは、人格形成とか、人生の質に関わる重要なことです。その後の人生にまで大きく影響を与えるとなると、その時期の子どもたちを教育する僕たちの責任は重大だなと、あらためて感じます。

出口 「やりたいことをやる習慣」は、どうすれば身につくと思われますか?

池谷 結局、いろいろなことを積極的に学ぶことでしか身につかないと思います。

仕組みとしては、大学はせいぜいアクティブラーニングの講義を設けることくらいしかできないのですが、僕はそれでは全く足りないと思っています。アクティブラーニングというレールを敷くと、やはり学生はそのレールの上を走らされていることになりますから。

知識の原野を開拓するような体験をすることが大事だと思いますが、それをどうすれば教育の現場で実践できるのかがわからなくて……。

出口　ある高校の校長先生は、高校生のときに好奇心を持つのがいちばんいいという持論のもと、修学旅行を工夫されています。物理や数学に興味がある生徒はＮＡＳＡに、生物や自然に興味がある生徒はガラパゴス諸島に、平和や人権に興味がある生徒はアウシュヴィッツに、開発や貧困に興味がある生徒はボツワナに連れていくのです。

保護者のご負担は大変ですが、校長先生は最前線の現場を見せることで生徒の好奇心が刺激され、勉強する意欲がわいてくる、と説得されているそうです。どこの学校でもできることではありませんが、方法論としては正しいなと思いました。

それと関連して、やはりいちばんの基本は、学生がやりたい、学びたいという気持ちを、教職員がどのようにバックアップしていくことができるかという点だと思います。すごい先生がすごいことを教えて刺激を与えることも大切ですが……。

池谷　でも、すごい先生がすごいことを教えるだけだと、教え子は先生を超えられません。自分よりすごい人を育てたいなら、環境をつくって刺激を与えることが大切ですね。知識の伝授も必要ですが、それ以上に刺激のある場をデザインすることが教育者の役目なのかもしれませんね。

振り返ると、僕の父は教育者ではないものの、そういったタイプでした。父親から「勉強しろ」と言われたことは一度もなかったのですが、僕がいま何にハマっているかということをよく見ていて、「天体にハマっているな」と感じたら、図鑑を買ってきて机の上に置いておいてくれるんです。

そして、僕がその図鑑を読み込んでいる様子を見ると、今度は「天体望遠鏡を買ってあげようか。どんなタイプがいい？」と聞いてくれる。こうして子どもなりに一つのことを極めることができたのです。次に、拳銃に興味をもちだしたな、と父が判断すると、小学生の僕に月刊『GUN』を買ってくれたり、モデルガンの店に連れて行ってくれたりしました。

母が相撲に興味を持ったときにも、父がいきなり関連する本を買ってきたりしていましたから、そういうことをするのが父の趣味だったのでしょう。でも、父のそういうところが、いまの僕をつくってくれているような気がします。

出口　池谷先生の個性に合わせて環境を準備されたというお父さまの方針は、教育の根本のような気がします。

池谷　そうですね。でも、いま自分が教育者としてそれができているのかというと、大いに反省しなければいけませんが……。

出口　僕はAPUを本当に楽しい、おもしろい学びの場にしたい。学生のやる気が、自然に引き出せるような環境にしていきたいと考えています。

APUの留学生は、TOEFL iBT（大学レベルの英語を使用および理解する能力を測定するテスト。満点は120）が平均85を超えており、レベルはかなり高い。また、寮のシェアタイプの居室では、原則として日本人と外国人を同室にしています。そうすると日本人学生が刺激を受けて、どんどん伸びるんです。

外国人は日本人のように忖度《そんたく》せず、言いたいことを遠慮せずに言うから、日本人も負けずに議論するようになります。やはり、環境が人を育てるんですね。


池谷　そのお話を聞いて、すごく腑に落ちるところがありました。

実は脳は、親や先生の言うことを聞くようにはできていません。いまは親が子を育てるのが当たり前だと考えられていますが、昔の母親は子育てをしませんでした。多産多死の時代、母親は妊娠して哺乳したら、また妊娠しての繰り返し。幼児以降は誰が育てていたのかというと、メインはきょうだいで、あとは祖母です。つまり子どもは親からでなくお兄ちゃんやお姉ちゃんから学ぶのがデフォルトになっているのです。

そのことが典型的に表れているのが言語です。子どもは親の言語ではなく、友だちの言語を覚えるんです。たとえばアメリカに引っ越すと、我が子たちは日本語で話すのをやめて、英語で話しだします。つまり、子どもは親とのコミュニケーションなど、全く重視していない一方で、友だちにはものすごく影響される。それが実は10代、20代という、大人になるギリギリのところまで続くんです。そう考えると、日本人学生が留学生と同部屋で暮らすことは、高い教育効果が期待できるのではないでしょうか。

それと同時に、研究には、没頭する力、オタクのように続ける力が必要です。先ほど出口さんが「学生のやる気が、自然に引き出せるような環境にしていきたい」と言われましたが、そのやる気や没頭する力が最も発揮できるのは、研究を楽しんでいるときです。

出口 ある文科系の先生が、「世の中に役に立つと思って研究しているわけじゃない。好きだからやっているだけです」といわれていましたが、それがいちばん大事ですね。

池谷 そう思います。でも、「好きなことを研究するのは楽しい」というのは、あまりに正論すぎて、言ってはいけないような雰囲気になっています。

かわりに、「この研究はあんなことに役立つし、こんなことがわかったら、新しい課題が明確になるでしょう」とレトリックで飾り立てないと研究させてもらえません。僕も表面的にそうした風潮に合わせた発言をしていますが、そのたびに「自分は何を言っているんだろう」と背中がムズがゆくなることはありますね。

でも本当は心の奥底で、「これ、楽しいからいいじゃん」と思っています。

出口 とすれば、僕たちは誰かに教える前に、まず自分で楽しまなければいけないということですね。だったら、お互いとことん人生を楽しみましょう。

学びのスペシャリスト対談―2

宇宙の謎解きはやめられない！

宇宙はビッグバンでできたのではなく、
最初に「ゆらぎ」があった。
進化や変化にとって、ゆらぎは大きな要素だ。
生物も宇宙も、ゆらぎから
新しいものが生まれてくる。
変化やゆらぎがある
多様性のある宇宙だからこそ魅力的なのだ。

吉田直紀 Naoki Yoshida

宇宙物理学者。1973年、千葉県生まれ。東京大学大学院理学系研究科教授 兼 カブリ数物連携宇宙研究機構主任研究者。宇宙論と理論天体物理学の研究に従事し、スーパーコンピュータを駆使してダークマターやダークエネルギーの謎に挑んでいる。著書に『宇宙137億年解読』(東京大学出版会)、『ムラムラする宇宙』(学研)、『地球一やさしい宇宙の話』(小学館)などがある。

「子どもの頃は、ロケットを開発して火星に行こうと思っていた」

出口治明——*Haruaki Deguchi*

「私の愛読書は『世界の7大ミステリー』でした」

吉田直紀——*Naoki Yoshida*

出口治明　吉田先生は「宇宙物理学者」。宇宙に関連する学問で、一般の人がまず思い浮かべるのは天文学だと思いますが、先生のご専門である「宇宙物理学」とはどんな学問ですか？

吉田直紀　「宇宙物理学」は、宇宙のさまざまな現象を、物質の基本的な法則や性質など物理の理論をもとにして研究する学問です。

２０１９年4月、アメリカ、日本、欧州などの専門チームが、チリのアルマ望遠鏡など世界最先端の望遠鏡8台をつなぎ、世界で初めてブラックホールの撮影に成功しました。一方、私の研究グループは２０１７年にスーパーコンピュータ・シミュレーションを行って、宇宙が誕生した直後に、どういう仕組みで巨大なブラックホールができたかを解明しました。

言ってみれば、前者が観測を中心とする天文学的なアプローチで、後者が理論を中心とする宇宙物理学的アプローチですが、実際には両者の区別はあまりありません。天文学者が理論研究をすることもあるし、宇宙物理学者が観測をすることもあります。

大学など日本の研究機関では、天文学は「天文学科」、宇宙物理学は「物理学科」に分かれていますが、海外では「physics & astronomy」として一体化しています。天文学か宇宙物理学かではなく、むしろ「惑星」とか「ブラックホール」といった研究対象の違いで分けるのが普通ですね。

出口　実は僕はかつては宇宙少年で、小学生の頃「ロケットの父」と異名を取ったフォン・ブラウン博士の本を読んで憧れて、「僕もロケットをつくって火星に行こう」などとアホなことを考えていました（笑）。

吉田先生が宇宙に興味を抱かれたきっかけを教えていただけますか。

吉田　私の場合、最初はビジュアルから入ったと思います。図書館で星や銀河の図鑑を見て「すごいなぁ」と。興味がさらに膨らんだのは、小学校4～5年生のときですね。ハレー彗星が地球に接近すると話題になったので、親に天体望遠鏡を買ってもらい、毎晩、星空観測するようになりました。私は神戸育ちですが、裏六甲（六甲山の海に面していないほう）あたりは街灯が少なく、夜空がすごくきれいに見える。すっかりはまってしまいました。

でも、宇宙ばかりに興味があったのではなく、小学校低学年の頃は、「世界の7大ミステリー」といった、不思議を解き明かす本をよく読んでいましたね。そこから歴史への興味が加わって、考古学が好きになった。映画でいうと『インディ・ジョーンズ』の世界です。

それがさらにもっと長い時間軸にも興味が出てきて、宇宙の謎に魅せられていったというところでしょうか。

出口　考古学ですか！　僕も中学生の頃にシュリーマンの著書『古代への情熱』を読んで魅せられました。中高生の頃は、当時住んでいた三重県で、先生に連れられて、規制のない場所を選んで土器を掘りに行ったりもしていたんですよ。

ところで、『古代への情熱』を読んでから、僕はなんとなく、エーゲ海の文明のシンボルの一つであるクレタ島のクノッソス宮殿は、陽光に輝く明るい文明の象徴だと思っていました。

それが、エーゲ海に浮かぶクレタ島のイメージにふさわしいじゃないですか。

ところがハンス・ゲオルク・ヴンダーリヒというドイツの学者が書いた『迷宮に死者は住む』という本には、おもしろいことが書かれていました。クノッソスは死者の宮殿だというのです。というのも、クノッソス宮殿には排水溝がありません。排水溝がなければ、人間は生活ができない。だから生きた人間ではなく死者が住む神殿に違いない、とヴンダーリヒは考えたのです。

この本を読んで、なるほど、考古学や歴史はサイエンスだなと気づいて、さらに興味が増した記憶があります。吉田先生も、宇宙に興味が出てきた頃に「これは理屈に合わへんな」と疑問を持たれたことはないですか？

吉田 私が子どもの頃は、いろいろな天体が独立して存在しているという考え方が一般的で、時間軸の視点はありませんでした。つまり太陽は、地球から光の速さで8分19秒の距離に、次に近い恒星であるケンタウルス座アルファ星は4・3光年の距離にある、ということはわかっていましたが、距離以外の意味をあまり考えていなかったのです。

それを疑問に思ったことはありませんでしたが、大学で宇宙物理学を学び、宇宙は進化して

※ウェルナー・フォン・ブラウン（1912〜1977）——ドイツ生まれ。第二次大戦中、V2ロケットなどの開発に携わったあと、アメリカに亡命。アメリカ初の人工衛星を打ち上げたレッドストーン、アポロ計画で使われたサターン・ロケットなどを開発した。

※ハインリッヒ・シュリーマン（1822〜1890）——ドイツの実業家、考古学者。ギリシャ神話に登場するトロイアが実在すると信じ、発掘調査。ついにトロイアの遺跡を発見した。

きたものだと知ったときの感動は大きかったですね。つまり、すべての天体はもともと何もなかった場所に誕生したんだ、と実感できたんです。そのとき抱いた、「では、昔の宇宙はどんな様子だったんだろう」という興味が、いまでも私の研究のモチベーションになっています。

私の研究対象はいちばん遠くの宇宙で、いわば宇宙のフロンティア。時間でいうと、最も若かった頃の宇宙がどうなっていたのか、ということを観測やコンピュータ・シミュレーションで調べています。

宇宙は138億光年前に誕生しました。いまはさまざまな望遠鏡で昔の、つまり遠くの宇宙の姿を捉えられるのですが、まだ最後の5億年が観測できていません。そのラストワンマイルを、「理論的にはこう考えられる」と仮説を立てて、観測データで検証するという研究です。

実は、NASAや欧州宇宙機関が共同で打ち上げるジェイムズ・ウェッブ宇宙望遠鏡（打ち上げは2021年の予定）では、残りの部分を観測できるといわれていて、いまからとてもワクワクしています。

「宇宙に『ゆらぎ』がなければ、何も始まらなかった」

吉田直紀——Naoki Yoshida

「人間は『ゆらぎ=多様性』のある世界にワクワクする」

出口治明——Haruaki Deguchi

出口　一般には「宇宙はビッグバンで生まれた」といわれていますよね。その前の状態は、最新の理論ではどのように考えられているのですか。

吉田　時間も空間も含めた宇宙を器のようなものだとすると、ビッグバンの前は器自体がないので、ひとまず「何もない」といえます。ただ、量子論的にいうとちょっと違います。

いきなり量子という言葉を出してしまいましたが、電子やクォークなどの微視的な世界では、それ以上分割できない物理的な限界の単位があって、それを一般に「量子」と呼んでいます。そしてそのような微視的な現象を扱うのが量子力学や量子論です。

量子論でいうと、「何もない」は本当に何もないわけではなく、エネルギーが微妙に生まれたり消えたりして、平均するとゼロになるような状態が宇宙の初期の姿です。これを「真空のゆらぎ」といいますが、そのゆらぎが、なんらかの弾みでバランスを崩して、ポンと宇宙を生み出したというのが最近の考え方です。

「偶然の弾みでできた」というと、荒唐無稽な話に聞こえるかもしれませんね。でも、私たちが観測できるいちばん昔の宇宙を見ると、まさしくゆらゆらとノイズみたいになっていて、観測的な裏付けがないわけではないのです。

最初の星はどのようにできたのかというシミュレーションをしたことがあるのですが、宇宙に存在していた物質を単に並べるだけでは星はできません。物質が集まっているところとほとんどないところという〝ムラムラ〟――つまりゆらぎがあり、さらに重力として働くダークマターがないと、一つの星もできなかったのです。

出口 脳科学者の池谷裕二先生の本に、「人間の脳はゆらぎから生まれる」という趣旨のことが書いてありました。いまのお話を聞いて、宇宙も人間も同じなんだなと思いました。

吉田 進化や変化にとって、ゆらぎは大きな要素です。生物も宇宙も、何か偶発的なものがあって、そこから新しいものが生まれてくるという仕組みで成り立っているのだと思います。

整っているところでは、何も起こりません。私からすると、それは美しくない。変化やゆらぎがある多様性のある宇宙だからこそ魅力的なんです。なぜそうしたものに魅かれるのかと聞かれると困ってしまいますが。

出口 天才的な進化生物学者リチャード・ドーキンスが、ロンドンの王立研究所で行った講演をまとめた本『進化とは何か』の中で、人間がこの世に生まれるということは、「色彩に満ち生命にあふれかえっているすばらしい惑星で目を覚ます」ことであり、それは「驚くほどラッキーなこと」だと述べています。

やはり人間は、多様性のある世界にワクワクする生きものなのですね。

吉田 そう思います。宇宙はゆらぎから生まれて、人間は宇宙から生まれました。そう考えると、私たちが根本的にゆらぎのあるもの、多様性のあるものをありがたがるのも当然だという気がします。

出口 それに関してうかがいたいのですが、「僕たちはどこからきて、どこへ行くのか」という根源的な問いがあります。地球は星のかけらから生まれて、消滅したらまた星のかけらに戻る。地球上で生まれた僕たちも、星のかけらから生まれて、また星のかけらに戻るという理解でいいのですか。

吉田　はい。宇宙では物質がリサイクルされていて、たまたまいまこの瞬間、私たちを構成する物質が人間の体として存在している。宇宙の歴史からすると、本当に一瞬ですけど。

出口　あと10億年くらいすれば太陽が膨張し、おそらく地球上の水分がなくなって地球上の生物は死滅しますね。その前に人類は宇宙に出て他の惑星に移住する、という話もありますが。

吉田　まだずっと先の話なので、数億年かけて新しい環境に適応していくかもしれないし、最終的には物質として宇宙にお返しすることになるかもしれません。「滅びる」というとドキッとしますが、宇宙のどこかで材料として引き継がれて、新しく作り直してもらうと考えれば、むしろ楽しいですよね。

出口　もう一つ質問をしてもいいですか。僕たちが星のかけらから生まれたとすると、星のかけらは宇宙にたくさんあるわけですから、宇宙には人類のような知的生命体が他にもいる可能性があります。吉田先生はどう思われますか?

吉田　間違いなくいると思います。宇宙には、だいたい10の23乗個の星があります。それらの星々のほとんどすべてが惑星を持っている。そうすると、生命体がいる確率を小さめに見積もったとしても、いくつかは残る。もちろん知的レベルがどれくらいなのか、コミュニケーションが可能なのかという問題はありますが、それを別にすると、なんらかの生命体が活動していることはほぼ間違いないといっていいんじゃないでしょうか。

出口 地球上の生命体はみんな同じ遺伝子構造を持っていますが、ほかの星の生物は違う遺伝子構造を持っていて、生物としての仕組みが根底から違うかもしれない。水ではなく水銀で生命を維持する生物がいたっておかしくないと思うのですが、「いや、水は必要だ」、「アミノ酸は必須だろう」という専門家が多い印象がありますね。

吉田 全くそのとおりで、人間が他の生命体について考えるとき、どうしても人間を基準に条件を考えてしまいます。でも、おっしゃるとおり、水ではなく水銀でできている生物がいたっておかしくない。そう考えると、生命体がいる確率はもっと高まりますね。

「複数の観測データのあいだを、
シミュレーションでつないでいくんです」

吉田直紀——Naoki Yoshida

「貴族の日記から、当時の生活を
推測する作業と似ていますね」

出口治明——Haruaki Deguchi

出口　観測技術の進化もおもしろいですね。人類は最初、肉眼で観察して、次に望遠鏡や顕微鏡を使うようになり、いまはコンピュータによるシミュレーションも併用して宇宙を把握するようになりました。コンピュータは、やはり天文学を変えましたか。

吉田　ええ、コンピュータがもたらしたものは大きいですね。私たちが観測できるのは、ある一瞬を切り取った宇宙の状態だけ。人類が何億年もずっと宇宙を見続けることはできないので、一瞬と一瞬のあいだはよくわからなかったのです。しかし、物理法則の知識とコンピュータ・シミュレーションを使ってあいだを埋めていけるようになった。

「あいだ」については推測に過ぎませんが、観測によってまた別の一瞬が見えると、「やはりシミュレーションは正しかった」とか「少しシミュレーションとは違うな」とわかってくる。宇宙の研究はその繰り返しです。

出口　それは歴史の研究と似ていますね。たとえば貴族の日記で、ある時点の様子はわかりますが、ある日記と別の日記のあいだに何が起きていたのかは推測するしかありません。新たな一次資料が見つかると、その時代についての検証が加えられていく。宇宙の場合は、その推測がコンピュータで精緻にできるようになったわけですね。

吉田　天文学はＡＩをわりと早く取り入れた分野で、膨大な宇宙観測データを処理する際に、すでにものすごく活躍しています。たとえば、大質量の星が一生を終えるときに起こす大爆発「超新星」の例をあげましょう。星が爆発すると、急に明るくなったあとでだんだん暗くなっていくので、超新星を見つけるには、まず明るさが変わる星――変光星を探します。大きな望遠鏡を使って宇宙の同じ範囲を何回も撮影し、明るさが変わった星をチェックするのです。

ただし、なんらかの理由で明るさが変わる星は、宇宙にごまんと存在します。そこでＡＩに、超新星特有の変光パターンを学習させ、変光星の中から超新星を探し出すのです。私たちの研究チームは、すばる望遠鏡に特殊な装置をつけた「すばるＨＳＣ」を使い、超新星候補を２０００個も発見しました。これは、一晩に換算すると50個以上のハイペースで、ＡＩがなければ到底実現できなかったでしょう。

天文学は、歴史的に見てデータサイエンス的な側面が強い分野です。たとえば、「惑星は太陽を中心とする楕円軌道を描く」などとした「ケプラーの法則」は、デンマークの天文学者ティコ・ブラーエが16世紀に残した星空の観測データをヨハネス・ケプラーが分析して導きました。「目的もなくデータを集めて何になる」といわれそうですが、天文学はその中から次々に重要なものを発見してきた。いままで私たちが見落としていたものをＡＩが見つけて、理論の進展を加速させるのではないかと真剣に考えています。

出口　天文学がデータサイエンスだというのは納得できます。モンゴル帝国第４代皇帝のモンケは、若い頃ヨーロッパの奥深くまで攻め込んだバトゥの遠征軍に従軍していました。当時、世界中どこでもそうだったように、モンゴルでも戦いの前に占いを行います。占い師は、たとえば「朝８時に攻めれば勝つ」という。しかしモンケは、ユークリッド幾何学が趣味だったたくらいの教養人なので、それを聞いて「はて、その8時はモンゴルの8時か、それとも現地の8時か」と時差の存在とその大切さに思い至りました。

モンケは皇帝になったあと、弟のフレグを大将にしてシリア、バグダード方面に攻め入らせます。そのときフレグに「ペルシャにはすばらしい天文学者がいるから、連れて帰ってこい」と指示を出した。つまり、モンケはそれだけ天文学の重要性を理解していたのです。ところがフレグの遠征中にモンケは死に、次の皇帝にはフレグの兄のクビライが就きます。帰る場所をなくしたフレグはペルシャに残って、フレグ・ウルス（イルハン国）をつくって自立します。このときフレグはモンケの言葉を思い出して、首都マラーゲに天文台をつくり観測データを収集。そのデータをもとに、「イル・ハン天文表」を完成させました。

実はイル・ハン天文表は、その後の暦に大きな影響を与えています。元朝に仕えた郭守敬という学者は、イル・ハン天文表をもとに「授時暦」という暦をつくりました。その授時暦に、中国と日本の緯度差を考慮してアレンジを加えたのが、渋川春海の大和暦（貞享暦）です。渋川春海を描いた冲方丁《うぶかたとう》の小説『天地明察』は、映画にもなりました。モンケの疑問を発端として収集されたデータが、ペルシャ、北京、江戸で活用されて暦になっていく。天文学はデータサイエンスであるということは、このエピソードからもわかる気がします。

「謎が一つ解ければ、
それ以上の疑問がわいてくる」

吉田直紀――Naoki Yoshida

「読みたい本、行きたいところが山ほど
あって、人生、時間が足らない」

出口治明――Haruaki Deguchi

出口 ところで、吉田先生は研究のアイデアをどうやって生み出されているのですか。

吉田 関連するもの、しないものを含めて、さまざまなことを知識として得ることが大切だと思います。天文学でも、全く別々のものが結びつく瞬間があります。たとえば出口さんのおっしゃった脳の話と宇宙の構造が結びつくこともあるかもしれません。無駄になる知識はないので、なるべく広くさまざまなことを吸収することを心がけています。

私の研究活動の中心は、学生との対話です。若い人は頭が柔らかくてフレッシュだから、私が考えもつかないようなアイデアが出てくる。もちろん、なかには荒唐無稽な話もありますが、そのほうがかえって刺激になります。これも、既存知と既存知の新しい掛け合わせに通じるところがあるのかもしれません。

脳をフル回転させて計算したり考えたりするのは、せいぜい2時間×2回が限度ですね。あとはいわゆる作業に充てたり、集中しないでぼんやり考えたり。でも、ぼんやり考えるのも研究には大事なんです。先ほど出口さんに、「クノッソスの宮殿跡に排水溝がないのは、それが死者の宮殿だったから」という話を教えていただきました。そういう知識は、夕食後、宇宙のことをぼんやり考えているときにふと立ち上ってきて、「そういえば、あの宇宙理論は物質の出口についての言及がないな」と結びついたりする。

出口 吉田先生は海外でも研究生活を送っておられますね。日本と海外の大学で、研究の仕方などで何か違いを感じることはありましたか。

吉田　私は大学院教育をスウェーデンのストックホルムとドイツのミュンヘンで受けて、若手研究者時代はアメリカのボストンにいました。その経験から日本の研究者と海外の研究者を比べてみると、日本人は良くも悪くも潔いところがありますね。

たとえばイタリア人とかアメリカ人の研究者は、白黒がつかないギリギリのところでうまく議論するのですが、日本人は少しでもグレーなところに入ると、サッとあきらめて引いてしまう。そこは私も自覚があって、海外の研究者の姿勢を見習わなくてはいけないと考えているのですが……。

出口　アインシュタインが「結果を出す人はすべて偏執狂である」というニュアンスのことを述べていますね。途中であきらめたら、やはり結果は出ない。

第二次世界大戦時のエピソードで、人から聞いて感心した話があります。英領だったシンガポールに日本軍が攻め入ったとき、英軍の司令官は「兵力が違いすぎて、勝てる見込みはない。よって全員投降する」と兵士たちに伝えました。おもしろいのはここからです。「君たちは日本軍の捕虜になるが、大英帝国のために『I'm hungry』と叫び続けて日本軍の糧食を食べ尽くせ。では諸君、太ってまた会おう！」と続けたそうです。

日本軍なら、同じ状況でも投降せずに玉砕するでしょう。それは潔いかもしれませんが、敵に本当にダメージを与えるのは英軍のやり方です。教育を通じて合理的、科学的な思考が身についていれば、簡単にあきらめて「破れかぶれで散ってやろう」などという発想にはならない。

吉田先生のお話を聞いて、そんなことを思いました。

ところで、宇宙物理学に限ると、進んでいる国はどこでしょうか。

吉田 日本、アメリカ、ドイツ、UKです。中国は、理論的なところはまだ発展段階ですね。理論は観測データの蓄積がものをいいます。中国も望遠鏡や衛星に積極的にお金を使っているので、すぐに追いついてくるとは思いますが。

出口 お金は大事ですね。研究設備はもちろん、プロフェッショナルな職員も雇える。そうすれば研究者が専門分野の研究や教育に集中できます。

世界の歴史を見ても、学問が花開くのは高度成長期以降です。経済的に充足して初めて長期的な投資ができるようになる。中国がこの分野でプレゼンスを増すのは、まさしくこれからなのでしょう。では、大学でいえばトップランナーはどこでしょう。

吉田 海外だとアメリカのプリンストン大学、マサチューセッツ工科大学、UKのケンブリッジ大学。ドイツは、大学ではなくマックスプランク宇宙物理学研究所あたりですね。私はマックスプランク宇宙物理学研究所にもいたことがあるのですが、いまは協力して研究することもあれば、激しく競うこともあります。

ただ、競うといっても、宇宙分野は命のやり取りが発生することもなければ、シビアなお金の話も少ない、知的な争いです。そもそも宇宙は誰でも見られるじゃないですか。「ここは見ちゃダメ」と隠すことはできないし、ましてや天体を捏造することもできません。その意味では、他の分野と比べてとても健全な競争環境になっているのではないかと思います。

出口　天文学はオープンなんですね。アメリカではほとんどのデータを一定期間後、すべて無料で公開しているようですが、オープンな姿勢は学問のためにはとてもいいことです。

アメリカの大統領は退任後、だいたい回顧録を書きます。それを見て、「金儲けだ」という感想を持つ日本人もいるようですが、あれは歴史の資料として書いている側面もある。一方で日本の政治家は秘密を墓場まで持っていこうとします。個人の美学としてはそれでいいのかもしれませんが、後世の人々にとっては、過去の経験を活かすことができないので、無責任な考え方だといっていいでしょう。

ところで、研究者に必要な資質はなんだと思われますか。

吉田　センスといっていいのかわかりませんが、優れた研究者は、無駄なこと、余計なことをたくさんしています。人間がいくら賢いといっても、自然ほどは賢くないんです。だから、頭で考えるだけでなく、とにかくありとあらゆる可能性を考えて、手を動かして試してみるしかありません。

実際、宇宙に関する新しい発見も、「これを観測するぞ」と目標を定めて見つけたケースより、とりあえず観測したら想像していなかったものが見つかったケースのほうが多い。ですから、余計だと思われることも、まずやってみようと考えるフットワークの軽さ——それが研究者に求められる資質の一つだと思います。

出口 それはすばらしいメッセージですね。最後に、いま先生が解き明かしたいと思っていることを教えてください。

吉田 ひと言でいえば、壮大な宇宙絵巻を完成させることです。宇宙の最初の5億年はまだよくわかっていないし、観測事実と観測事実のあいだをつなごうとしても、まだわからないことが多すぎます。その足りない部分を自分の研究で埋めていき、いつかは「宇宙の歴史書」をつくりたい。そういう気持ちで研究しています。

出口 宇宙絵巻が138億年の物語だとしたら、現段階では何%できあがっていますか。

吉田 17%といっておきましょうか。宇宙の大枠はわかってきて、物語でいうと登場人物も、少しずつですがわかってきています。ただ、物語の肝になる重要なところはまだまだです。でも、次にお会いしたときにも17%といっているかもしれません。宇宙の研究って、一つ何かわかると新たな謎を生むのです。だから1%わかったら、謎の総量が5%くらい増えて、結局は17%のままかもしれない。それがまた私にとっては楽しいのですが（笑）。

出口 その気持ちはよくわかります。僕も何か知りたいことがあったら本を読むのですが、一つわかったらまた別の疑問がわいてくる。もう古稀を超えたのですが、読みたい本、行きたいところが山ほどあって、人生、時間が足らないでと。でも、吉田先生のおっしゃるように、謎を追いかけ続けること自体が楽しいからやめられません。

吉田 まさしく「死ぬまで勉強」ですね（笑）。

第2章——Chapter 2

「教育」の難題に挑む

コンビニのような大学が実在した!

学長という立場上、最近では学校教育法や大学設置基準などの法令を読むことが多いのですが、そこで印象的だったことの一つは、大学運営には想像以上に制約が多いということでした。

一つ例を挙げましょう。

いま、政府はしきりに社会人が学び直しをするリカレント教育(生涯教育)をうたっています。「リカレント」とは循環、反復という意味で、広辞苑では「生涯を通じて教育の機会を保障すべきであるとする教育観に基づいて行われる成人教育」と説明しています。

1960年代にこのリカレント教育を提唱したスウェーデンの経済学者ゴスタ・レーンの構想は、僕が教育機関の一つの理想型だと思っている「アル=アズハル大学の三信条」に通じるものがあり、本当にすばらしいと思います。

アズハル大学とは、西暦972年にエジプトのカイロに創立された世界最古の大学の一つ。イスラム研究の中心教育機関として、いまでも圧倒的な影響力を持っていますが、この大学が「入学随時、受講随時、卒業随時」という、コンビニエンスストアのようなシステムを実践していたのです。

つまり、「勉強したいと思ったらいつでも来ていいよ」「勉強したい科目だけ学べばいいよ」「十分勉強したと思ったら、いつでも社会に戻っていいよ」ということで、これが「アズハルの三信条」と呼ばれているものです。

アズハル大学ほどではないにしろ、欧米では以前からリカレント教育が進んでいます。たとえばスウェーデンでは社会人教育や学習サークルを通じた民衆教育が根付いているし、アメリカには地域住民のためにつくられた2年制の公立大学（コミュニティ・カレッジ）があります。

これに対して日本では、リカレント教育を進める土壌が、まだまだ整っていないといわざるを得ません。そのいちばんの問題点は、長時間労働にあります。「メシ・フロ・ネル」の生活を続けていたら、学ぶ時間など取れるはずがありません。

フィンランドでは、一生のうち3人に2人が転職するようですが、転職者の2人に1人は、転職の際に新たな学位や資格を取っているそうです。すばらしい社会だと思いますが、それは労働時間が短くて学ぶ時間が十分取れるからです。その意味でも働き方改革は本当に重要です。

加えて、日本で専門的な内容を随時学べる場をつくろうとしても、実現できるのは大学の公開講座が関の山で、アズハル大学のような環境を実現するのは夢物語です。

その原因の一つは、文部科学省が各大学に厳格な定員管理を定めていることにあります。本来なら、大学側が学力や適性などをもとに学生を選抜し、定員±2割程度の幅の中で、結果として定員に満たなければ仕方がない、逆に定員を超えてもＯＫ、という姿勢を堅持すべきでしょう。

しかし、ほとんどの大学は、経営上の要請もあって、なんとか定員を埋めようとします。すると、学期の途中で「学びたい」という人がやってきても、受け入れる枠が残っていないため、その人の学ぶ意欲は満たされないのです。いったん学期が始まると、途中から授業に参加できるような柔軟な運用はできません。

また大学は、たとえば「学部学生なら8年間」など、大学に在籍できる最長の修業年数を定めています。大学で学んで、いったん休んで仕事。そしてまた大学に戻り、長期にわたって特定の分野の授業を受けたり、好きな教授の講義だけを聴いたりする——ということは、現在の日本の大学の学生にとっては、非常に難しいといわざるを得ません。大学側は「学生に網羅的に勉強をさせ、修業年限を定めて、なるべく早く卒業させる」という前提でカリキュラムを組んでいるからです。

「アズハルの三信条」——入学随時、受講随時、卒業随時——の一つとして実現できていない日本の大学で、リカレント教育を導入するには、まだまだいくつものハードルを越えなければならないようです。

ちなみに「一定の年数までしか修業できない」というルールは、逆に単位取得の容易さにもつながり、ひいては諸外国に比べて大学のレベルが低い、といわれる一因にもなっています。

また、教育システムだけではなく、社会システムにも課題があります。

日本で生涯学習というと「働きながら学ぶ」とか、「趣味の延長で学ぶ」といった、なんとなく補助的なイメージがあります。しかし欧米では、キャリアアップのために仕事を辞め、大学などで学んで高度な知識を身につけ、また社会に戻るという「行ったり来たり」が一般的です。先ほどフィンランドの例を紹介しましたが、現在のようにIT化、AI化が著しいスピードで進化している時代においては、大学や大学院で一度学んだだけでは、とても時代の要請にはこたえられないでしょう。

そのためのリカレント（循環、反復）なのですが、日本ではまだまだ雇用の流動化が進んでおらず、「自己研鑽のための休職」という概念がほとんど根付いていません。企業がお金を出して、社員にMBAを取得させる場合もありますが、非常にレアなケースといっていいでしょう。企業が社員を国内外の大学に留学させる経費はすべて税額控除の対象とするなど、思い切った政策を打つ必要があると思います。

こうした諸々のルールや日本独自の労働慣行などが存在する結果、日本の大学では致命的な現象が起きています。ダイバーシティの乏しさです。

日本の学生は19～22歳が中心で、1、2年浪人もしくは留年しても24歳くらいで卒業してしまいます。したがって25歳以上で入学する学生の割合はわずか2・4％しかありません。これに対してOECDの平均では、25歳以上で入学する学生の割合が16・6％に達しています（2017年）。海外ではいったん社会に出てから大学に入る人が珍しくないからです。

つまり、日本の大学は社会経験のない若者だらけなのです。同じような世代の人ばかりが集まる環境と、さまざまな背景を持つ幅広い世代が集まる環境の、どちらが多様性に富み、その結果、多くの学びを得られるかは、いうまでもないでしょう。

とはいえ、これが日本の大学の現実です。今後どうすれば大学のレベルが上がり、リカレント教育を実現することができるのか、僕も一所懸命勉強してその糸口を探していきたいと思います。

「日本人は勤勉」というのは本当？

日本人は勤勉だといわれていますね。与えられた課題を、ときには時間を大幅に超過してでも仕上げ、しかもできあがった仕事のクオリティが高い、といわれてきました。いま問題になっている長時間労働は、勤勉さと裏腹の関係にあり、「仕事が好きで長時間働いているだけなのに、何が悪いんだ？」と開き直る人も少なくありません。

でも、それは事実でしょうか。数字で確認してみましょう。

OECDの統計によると、加盟36ヵ国（コロンビアは2020年に加盟しましたが、ここには含まれません）＋2ヵ国（ロシア、コスタリカ）の38ヵ国中、日本の労働時間は22位で

1680時間でした（2018年）。この数字は、アメリカ（1786時間）よりも少なく、OECD平均（1734時間）と比べても短いという結果になっています。日本人の労働時間は、海外と比べて多すぎる、というわけではないのです。

ただ、それは見かけ上の話にすぎません。この数字には、非正規雇用者が含まれているからです。厚生労働省が公表している「毎月勤労統計調査」の2019年分結果確報によると、事業所規模5人以上の勤務先で働く「一般労働者」（正社員）の月間平均労働時間は164・8時間、「パートタイム労働者」は同じく83・1時間です。この数字に12を掛けて年間の労働時間を計算してみると、前者は約1978時間、後者は997時間になります。他のさまざまな統計からも、日本人の正社員たちは、年間2000時間程度労働していることが明らかです。

それで成果があがっていればいいのですが、経済成長率が先進国で最低レベルなのはご存知のとおりです。IMFによると、日本の2019年の実質経済成長率は1・0％と、アメリカ（2・3％）、ユーロ圏（1・2％）、中国（6・1％）などと比べると、かなり見劣りがします。

「勤勉」を辞書で引くと、「仕事や勉強に一心にはげむこと」（広辞苑）とあります。労働時間が長くて成果（成長率）があがっていないのに、「勤勉」だといえるのでしょうか。もっとシンプルに労働生産性をみると、日本は統計を取りはじめた1970年以降、実に半世紀にわたってG7で最下位を続けているのです。

世界最大級の独立系PR会社エデルマンは、世界28ヵ国・地域、約3万4000人に対して

「トラスト・バロメーター」という調査を行っています。その結果でおもしろいのが、「あなたは所属している組織や機関をどの程度信頼しているか」という質問に対する答えです。

調査対象となっている主要26ヵ国・地域平均では、58％の人が「信頼している」と回答しています。つまり、１００人の社員がいたら58人が自分の会社を信頼しているということです。しかし、日本は49％しか信頼している人がいません。ドイツや韓国とともに、自社を信頼していない人のほうが多い7ヵ国のうちの一つなのです。それにしても、自分の所属する組織に対する信頼度がこれほど低いのは、恥ずかしいかぎりです。

さて、この結果からいえることは、「日本人は会社に対するロイヤルティが低い」ということです。会社や組織に逆らうと、誰もが満足するようなことにはならないので、みんなが空気を読んで表面上は社風に合わせているけれど、心の中ではあまり信頼していない――。エデルマンのデータは、そういっているのです。

「日本人は勤勉だ」といわれているのはあくまでも見かけだけの話。実は日本人は面従腹背が非常にうまい人々だと見ることもできるのです。

えっ、ホントに!? 実は低学歴国だったニッポン

「日本人は勤勉だ」という神話と同じくらい信じられているのが、「日本は大学進学率が高く、高学歴の人が多い」という説です。こちらも検証してみましょう。

日本の合計特殊出生率が「2」を割り込むようになったのは1975年からで（1966年に1・58になりましたが、これは丙午《ひのえうま》による一時的なものです）、子どもの数（15歳未満人口）も1982年以降、減少を続けています。

18歳人口を見ると、最も多かったのはベビーブーム期（1947〜1949年）に生まれた層が18歳になった1966〜1968年（ピークは1966年の249万人）。以降は減少トレンドに入り、第2次ベビーブーム期（1971〜1974年）に生まれた層が18歳に達した1990〜1993年（最多だったのは1992年の205万人）に少し盛り返したものの、現在は120万人弱で推移しています。

その一方で大学の数は高止まりしています。18歳人口が激減する一方で、大学の数は減っていないのですから、大学進学率は自ずと高くなっていても不思議ではありません。しかし実際には日本の4年制大学進学率は50％強にとどまっています。

「とどまっている」と表現したのは、大学進学率自体は着実に上昇しているのですが、他の先進国と比べると、かなり見劣りがする、ということです。

もう少し詳しく説明しておきましょう。東京オリンピックが開催された１９６４年、日本の大学進学率（男性）は初めて20％を超えました。30％を超えたのは１９７１年、40％を超えたのは１９９５年、50％を超えたのは２００５年となっています。一方、女性の大学進学率は、１９６４年に５％程度だったものが、２０００年には30％を超え、２００７年には40％を突破しました。

その結果、男女を合計した４年制大学進学率は、１９７２年に初めて20％を超え、２００９年に50％に達したのです。直近では２０１７年は52・6％、２０１８年は53・3％、２０１９年は53・７％となりました。昭和40年代（１９６５〜１９７４年）半ばまで10％台だった大学進学率が、半世紀弱のあいだに50％を超えるまでになったのだから、「日本という国は教育に力を入れているのだな」と思われるかもしれません。

ところが「４年制大学進学率50％」というのはけっして高い数字ではないのです。ＯＥＣＤの統計（２０１７年）によると、オーストラリアの94・５％を筆頭に、ベルギー（80・６％）、ニュージーランド（76・3％）、韓国（57・7％）など、主要国は日本（この統計では49・５％）を上回っており、わが国はＯＥＣＤ平均の57・９％にも達していません。順位は対象35ヵ国中24位でした。

ちなみにアメリカ、カナダなどは統計の基準が違うのでここには含まれていませんが、アメリカの場合、短大など短期の大学を含めた教育機関への進学率は88・2％に達しています（同じ基準での日本の進学率は63・6％。いずれも２０１８年のユネスコのデータ）。

では、大学進学率を先進国並みに上げていくにはどうすればいいでしょうか。教育に関して政府（文部科学省）はさまざまな統計情報を集めるなどして検討していますが、いまだに「18歳人口をもとにした進学率」を重視しています。これは大いに疑問です。

大学進学率が高い国々では、「高校卒業後」だけでなく、「いったん就職してから」進学する人がけっして少なくありません。したがって大学入学時の平均年齢は、日本の18・3歳に対して、スイスとスウェーデンが24・5歳、デンマークが24・3歳、フィンランドが23・7歳などとなっており、ＯＥＣＤの平均では21・8歳です（２０１７年）。海外では、「現役」（高校卒業即大学入学）ではないのがむしろ当たり前なのです。ちなみに日本の18・3歳という数字は、ＯＥＣＤで最低です。

「18歳進学率」を中心に考えるのは、政府が推進しているリカレント教育（生涯教育）とも矛盾するところがあり、「木を見て森を見ない」議論のような気がしてなりません。いつでも大学に入ることができて、勉強し直して、また職場に戻れるという、働き方改革をも含めて、大きな目で取り組んでいかなければならないと思うのです。そういった改革を通じて、「生涯進学率」を上げていくべきではないでしょうか。

ちなみに、大学院進学率についてはさらに悲惨な状況にあります。２０１７年の日本の大学院進学率（ＯＥＣＤ調べ）は8・5％で調査対象の36ヵ国中34位。トップのフランス（42・4％）は別格としても、アメリカ（14・3％）、韓国（12・9％）、チリ（11・3％）、トルコ（10・9％）などにも遠く及びません。

国際機関で働きたいと思えば修士号を持っていることが最低条件になる場合がほとんどですし、グローバルな一流企業に採用されたいと思えば、それに加えて優秀な成績を収めていることが求められます。逆に日本では、大学院を出ていると就職に不利になるといわれますが、企業の採用制度を含めて根本から考え直さないと、大学を取り巻く環境はよくなってはいかないでしょう。

採用基準の中で、成績をもっと重視し、大学院生を大切にしていくことが、今後の大きな方向性だと考えます。

「大学は輸出産業」という視点

ニュースなどでも取り上げられることが多いので、知っている人も多いでしょうが、世界の大学ランキングについて、ここで述べておきましょう。大学ランキングにはいろいろな種類があり、それぞれ評価ポイントが異なるため結果は一様ではありませんが、共通していえることは日本の大学でベスト100に入っているところは、東京大学と京都大学くらいだということです。

たとえばUKのタイムズ誌が公表している「THE世界大学ランキング2020」(Times Higher Education World University Rankings 2020)では、以下のような結果となりました。

1位：オックスフォード大学(UK)
2位：カリフォルニア工科大学(アメリカ)
3位：ケンブリッジ大学(UK)
4位：スタンフォード大学(アメリカ)
5位：マサチューセッツ工科大学(アメリカ)
～中略～
23位：清華大学(中国/アジア1位)
24位：北京大学(中国)
36位：東京大学
64位：ソウル国立大学(韓国)

65位：京都大学

なお、「THE世界大学ランキング　日本版（2020）」によると、国内大学のトップは東北大学、2位が京都大学となっています。僕が学長を務めるAPUは私立大学第5位、西日本の私立大学では1位につけています。APUより上位にあるのは、国際基督教大学（ICU）、早稲田大学、慶應義塾大学、上智大学の4大学です。全て東京の有名大学ですので、APUは地方の私立大学でも1位なのです。

アメリカのニューズウィーク誌が公表している「U.S.News Best Global Universities 2019」では、日本でトップ100に入っているのは東京大学だけ（74位）。京都大学は124位という結果になっています。その東京大学も、シンガポール国立大学、精華大学などの後塵を拝しました。「THEアジア大学ランキング2020」のトップ10をみると、清華大学、北京大学、シンガポール国立大学の順で、中国が3校、香港が3校、シンガポール2校、韓国2校、日本1校（東大）となっています（10位が2校）。香港の現在の状況を鑑みれば、香港の大学から優秀な学生を日本に勧誘する絶好のチャンスではないでしょうか。

ともあれ日本の大学の国際的なランキングを上げていくことが喫緊の課題であることはいうまでもありません。大学の論文数や研究力は、新しい技術開発や理論の構築に直結し、発信力の強化にも繋がります。「国際性」などで定評のある大学があれば、そこに内外から学生や教員が集まってきて、ダイバーシティや活力も生まれるでしょう。

それに関して、日本に決定的に欠けている視点があります。それは、「大学は輸出産業である」ということを、多くの人が理解していないことです。

アメリカには移民だけではなく、年間110万人もの留学生が集まってきます。アメリカの大学は学費が非常に高いので、1年間留学しようと思ったら、学費だけで600万〜700万円、これに生活費を加えると合計で1000万円ほどかかります。これを掛け算すると110万人×1000万円＝11兆円です。しかもこれは有効需要ですから、アメリカの大学は、わが国の自動車産業に匹敵するくらいの輸出をしていることになるのです。

しかも、この留学生たちがベンチャー企業を起こすわけですから、その恩恵は計り知れません。GAFA――Google、Apple、Facebook、Amazonは全部アメリカのベンチャー企業ですし、その予備軍である「ユニコーン」（企業評価額が10億ドル以上で非上場のベンチャー企業）も、アメリカには200匹いますが（ちなみに中国にも100匹いますが、全世界で400匹以上いる中で、日本にはわずか3匹です）。

一方、大学など日本の高等教育機関にやってきている外国人留学生は、増えているとはいえ約23万人（2019年）で、アメリカとは比べものになりません。中国教育部の発表によると、中国の高等教育機関における外国人留学生は約49万人（2017年）と、2倍以上の差をつけられています。大学は、自動車産業などと同様のインパクトを持つ輸出産業になり得るのに、それにふさわしい対策が講じられていないのです。

外国人留学生を日本に集めるためには、どうすればいいでしょうか。いろいろな方策が考えられると思いますが、比較的すぐに取り組むことができると思われるのが、「秋入学」の導入です。

現在、APUには約6000人が在学しており、そのうちの半数、3000人ほどが国際学生（留学生）です。なぜここまで国際学生の比率が高いかというと、秋入学を導入しているからです。もう少し説明すると、春入学は国内の学生、秋入学は国際学生が中心で、日本語と英語のそれぞれで入学試験を実施し、年に2回入学・卒業できるシステムを構築しています。また、教育も日・英2言語で行っているので、そこに魅力を感じてくれているようです。

日本は明治以降、会計年度に合わせて「4月入学」を採用してきました。しかし、世界の主流は「9月入学」です。アメリカ、カナダ、UK、フランス、ロシア、中国などが採用しており、このために中国からアメリカ、カナダ、UKなどへの留学がスムーズにできるのです。

2020年春のコロナウイルスの蔓延で、地域にもよりますが3月から5月まで学校が軒並み休校になりました。早く再開できた地域と、最後まで緊急事態宣言が解除されなかった地域で勉強の進み具合に差が広がってしまうこともあり、全国知事会などはこれを奇貨として教育年度をグローバル基準である秋入学に切り替えるべきだと提言しました。しかし、残念ながら実現はしませんでした。コロナ禍で大変な中で、小学校から高等学校まで一斉に秋入学に切り替えるには時間が足りないというのがその主な理由です。

どうしてそのように画一的に考えるのでしょうか。次年度は現在の高校3年生の不安を鎮めるために、大学に秋入学をやらせる（つまり、高校3年生には春と秋、2回の入学のチャンスがあることになります）。そして小学校から高等学校については、秋入学の定着具合をみて、5年くらいかけてアジャストすれば、それでいいではありませんか。

第一、考えてもみてください。外国人にとって日本への留学は、日本語という高いハードルがあり、しかも入学時期が違うので、かなりのハンディがあるといわざるをえません。実際、ユネスコのデータによると、1998年には4位だった外国人留学生数が、2017年には123ヵ国中9位になってしまいました。経済規模（名目GDP）では世界第3位の経済大国である日本がこの位置にいるというのは、とても残念なことです。

教育予算をすぐに増額することは困難ですが、「秋入学を導入する」のは大学の仕組みの問題なので、実現するハードルはさほど高くはありません。文部科学省が、「秋入学を実施しない場合は交付金を減らします」と宣言すれば、各大学は一斉に秋入学を導入すると思います。

そしてそれが実施できるかどうかは、日本という国の将来に向けたグランドデザインにかかっているのです。

「勘違い」と「酸っぱいブドウ症候群」

日本に来る留学生が、日本の経済力に比べて明らかに少ないという現状がある一方で、海外で学ぼうとする日本人が減少していることも大きな懸念材料です。

たとえば、アメリカの非営利機関IIEが留学生受入れ状況についてとりまとめた「Open Doors 2019」によると、2018年にアメリカの教育機関に留学した日本人は1万8105人。アメリカで学ぶ留学生数を出身国別でランキングすると8位でした。

「へえ、そんなもんか」と、あまり衝撃を受けないかもしれませんが、1994年には4万5000人あまりの日本人が米国留学を果たしており、ランキングでトップだったのです。現在、最も多くアメリカに留学生を送り込んでいる国は約37万人の中国ですが、1994年にはまだ4万人に満たない水準でした。

ちなみに中国以外の上位国は、インド（約20万2000人）、韓国（約5万2000人）、サウジアラビア（約3万7000人）などとなっています。人口の多い中国やインドはまだしも、韓国やサウジアラビアにも大きく水をあけられているのが現状なのです。

米国留学に限らず、日本人の留学生全体で見ても、2017年に海外の大学で学んだ人は

3万2000人弱。ピークだった2005年の約6万4000人から、半減しています（ユネスコ）。これは、明らかに学ぶ意欲がなくなっていることを意味します。

歴史を振り返ってみると、江戸時代の愚かな鎖国のせいで、わが国は欧米列強とは比べものにならないほど立ち遅れてしまいました。幕末以降、その遅れをなんとか取り戻そうと、使節団などを派遣して、海外の優れた文化や社会システムを学ぼうとします。その最たるものが、明治政府が国家体制も固まらないうちに派遣した岩倉使節団です。

1871年から1873年までの約2年間をかけて、欧米10ヵ国以上を歴訪したのですが、全権大使・岩倉具視をはじめ、木戸孝允、大久保利通、伊藤博文など政府の重要な地位にある人物を含めて50人近くをこれほどの長期間派遣したのですから（現在でいえば、大臣の半数以上といってもいいでしょう）、普通に考えたら愚挙といわれても仕方がありません。でもそれは、いかに当時の人たちの学ぶ気持ちが強かったかということの証明でもあるのです。

なお、使節団とともに40名あまりの留学生が異国の地を踏みました。この中には、大日本帝国憲法の起草に参画し、伊藤内閣の法務大臣などを務めた金子堅太郎、津田塾大学の創始者・津田梅子なども含まれており、こうした人たちが留学したことで新たな世界が開けたことを物語っています。

明治維新の理念は「開国・富国・強兵」です。教科書に載っていた「富国強兵」という言葉だけを覚えている人もいるでしょうが、その前に「開国」がありました。これは幕末に筆頭老中を務めていた阿部正弘のビジョンで、まず国を開き、商売をやってお金を儲けて、兵隊もそこそこ強くせなあかんで、というものです。

ところが、これでうまくいき、西洋列強に追いついたとのぼせあがってしまった日本は、「開国」を捨ててしまいます。国際連盟からの脱退や軍縮条約の破棄など、世界の孤児への道を突き進み、「富国・強兵」だけで突っ走った結果が第2次世界大戦での敗戦でした。

もとより、日本にとって「開国」はマストです。日本は近代文明のベーシックな要素である鉄鉱石や化石燃料、ゴムがほとんど採れないので、国を開いて交易するしかありません。アメリカから石油の輸出を止められたとき、「あと200日くらいしか備蓄がないから、一刻も早く打開しなければ」という倒錯した論理で戦争を始めてしまったのは、象徴的なエピソードでした。

戦争でコテンパンに敗れたあと、吉田茂がもう一度「開国・富国・強兵」という3枚のカードを机の上に広げ、今度は「強兵」を脇に置きました。「強兵」は日米安保条約に任せてしまおうというわけです。そして「開国・富国」路線を突っ走ります。これが思いのほかうまくいって、1956年の『経済白書』に「もはや戦後ではない」と書けるようになり、80年代になると海外からも「ジャパン・アズ・ナンバーワン」と持ち上げられるようになりました。

バブル期には「東京都の地価でアメリカが買えるで」といわれるようになり、戦後の高度成長は人口の増加が主因で、バブルは円高・低金利・原油安というテクニカルな要因のウエートが大きかったにもかかわらず、それが日本経済の実力であるかのように勘違いしてしまいました。第2次世界大戦に向かって突っ走っていったときと同様に、のぼせあがってしまったのです。

つまり、高度成長期からバブル期に至るあいだに傲慢になって、広く世界から学ばなかったことが、いまに至るまで尾を引いていると僕は考えています。それが、日本人に「勉強をしよう」という意識が薄い大きな理由ではないでしょうか。

日本人が勉強しないもう一つの理由は、「酸っぱいブドウ症候群」に冒されているからです。日本は1968年、西ドイツ（当時）を抜いて、アメリカに次ぐ世界第2位の経済大国になりました。しかしバブル以降は競争力を失っていき、2010年、ついに力をつけてきた中国に名目GDPで追い越されて、40年以上保っていた№2の地位を明け渡すことになります。お家芸だった家電や半導体でも韓国や台湾の企業に負けてしまいました。

経済同友会の代表幹事だった小林喜光さんは、平成の時代は「敗北と挫折の30年だった」と断じましたが、そのとおりでしょう。平成の30年間で、GDPの世界シェアは半減以下となり、国際競争力（IMD調べ）は1番から30番になり、平成元年には世界のトップ企業20社のうち14社を占めていた日本企業がゼロになったのです。戦争がなかったという意味ではいい時代だったと思いますが、経済的には完敗でした。

つまり、戦後日本のアイデンティティは経済力だったのに、中国や韓国に一部負けてしまったのです。そうなると、劣等感が生まれてくる。劣等意識と愛国心が結びつくと、歴史学者ルカーチが指摘するように、攻撃的なナショナリズムになり、嫌中意識や嫌韓意識が生まれてきます。あるいは「本当はこんなに日本はすごいで」と、根拠に乏しい精神論一本槍の主張をするようになるのです。

また、「日本のことだけ学べば十分や。外国のことなんか勉強せんでもええで」ということになり、イソップ童話の「酸っぱいブドウ」よろしく、現実から目をそらすことになってしまいます。これを続けていけば、考える力が退化してしまうのは当然でしょう。これがいまの日本に起こっていることです。ひと言でいうと、思考停止です。

貪欲に世界から学ぶことを行わずに、「日本はええ国やで」といいながらお互いにマスターベーションをして傷を舐め合っていると気持ちがいいですよね。「アメリカやフランスのような人種差別はないし、世界でいちばん安全で犯罪も少ない。日本料理もおいしい。こんなええ国はないで」と。しかし、閉じられた世界というのは、そこに安住しているかぎり不安も不満もなく心地よいかもしれませんが、世界がどんどん小さくなっていくことは避けられません。それは、何も学んでいないからです。

「日本の大学ランキングが低い」という調査結果が出ると、すぐさま「いや、それはランキングのやり方が悪いんや」「基準がおかしいで」という反論が出ます。でも、そう思うのなら、独自に最善と思われる基準でランキングをつくればいいのに、誰もそこまではしません。「タテ・ヨコ・算数」（後述します）、「数字・ファクト・ロジック」で考えず、説得力の乏しい、情緒的な批判をするだけです。まさに「酸っぱいブドウ症候群」そのものですね。

アメリカの大学は歴史が違う

ところで、日本の大学とは異なり、アメリカの伝統的な大学は自己資金を潤沢に持っています。たとえばハーバード大学の自己資金は４兆円もあります。あちこちの企業を駆け回って共同研究などを持ちかけなくても、金利≒成長率≒３％と仮定すれば、年間１２００億円の利息を自由に使うことができるのです。日本の大学で、１０００億円以上の予算を計上している大学は何校あるでしょうか。

日本の大学の自己資金は、多いところでも数百億円程度。ゼロ金利政策により利回りはほとんど期待できない状況なので、ハーバード大学とは全く比較になりません。

これほど大きな差がついた理由は、何よりも歴史の長さにあります。

清教徒（ピューリタン。カルヴァン派）であるピルグリム・ファーザーズが、イングランドからアメリカに渡ったのは１６２０年のことでした。それからわずか16年で最初の高等教育機関であるハーバード大学が設立されています。ピルグリム・ファーザーズは、カルヴァン派ですから教育には熱心です（詳しく知りたい人はマックス・ヴェーバー『プロテスタンティズムの倫理と資本主義の精神』［岩波文庫］などをお読みください）。だから、まず大学をつくり、それ以来３００年以上にわたって資金を蓄積してきたのです。

一方、日本で最初の近代的高等教育機関である東京大学は、１８７７（明治10）年に欧米にキャッチアップするために、国立大学としてつくられました。ハーバード大学とは約１５０年もの差があるうえに、建学の精神も大きく異なります。

みなさんは「72のルール」をご存じですね。［72÷成長率 or 金利≒元本が倍になる年数］という算式です。国際社会復帰後、高度成長期の日本は、バブル崩壊まで平均７％の成長を達成してきました。７％だと10年で元本が倍になります。20年で4倍、30年で8倍、40年で16倍、50年で32倍です。50年あれば、１０００億円の自己資金が3兆円を超えて膨らむのです。ハーバード大学など欧米の有名大学は、高度成長期に自己資金を複利で膨らませてきたのです。

そういう経緯を無視して、いまになって「アメリカの大学は一所懸命企業や卒業生からお金を集めているのだから同じことをしろ」といわれても、前提条件が違いすぎます。そのように考えると、「ハーバード大学などに比べると、日本の大学はなっていない」というような議論が、いかに歴史的なパースペクティブを欠いた、表層的な意見であるかということがよくわかるでしょう。

歴史という意味では、アメリカはたかだか300～400年の歴史しかない国であり、1300年も続いている日本（日本という国号の初出は701年です）が負けるはずがないという意見もあります。それはそのとおりです。しかし、近代の日本は、実質的には1868年の明治維新から始まっているのです。これに対して、アメリカの独立は1776年ですから、近代的な国民国家になったのはアメリカのほうが早いという見方もできるのです。こういった根拠なき精神論ほど国を危ぶむものはありません。

もちろん、僕は日本はすばらしい国だと思います。日本が大好きです。でも、思い込みやイデオロギーではなくて歴史的な経緯や、世界中のことをよく調べて、データで裏付けて判断しなければなりません。「1300年の歴史がある」と胸を張るのは、サイダーを飲んだときのように、一瞬すっとするだけの話です。

教育は詰まるところお金

すでに何度か「日本は低学歴の国」だと話してきました。OECD加盟国の中では、大学や大学院進学率が平均よりかなり低く、かつ世界の大学ランキングでも上位（トップ100位）に入っているのは東京大学、京都大学くらいしかないからです。その原因を探ると、教育予算が少ないことに行き着きます。

集団を底上げすることに重きを置く初等教育と違い、高等教育ではとくにＳＴ比が重視されます。これは「Student＝学生」に対する「Teacher＝教員」の比率のことで、ひとりの教員で何人の学生を見ているかを意味します。たとえば１００人の学生に５人の教員がついているならＳＴ比は20。一般に理科系の学部ではＳＴ比が小さく、人文・社会科学系の学部では数字が大きくなる傾向があります。

教員の能力にはさほど差はないと考えると、この数字は教育の充実度に直結します。つまり教員の数を増やすことが学力の向上につながるのです。でも、教員を増やすことは国立大学では予算増を意味します。私立大学では授業料の値上げに直接かかわってくるので、簡単には踏み切れません。

一方で、すでに紹介したように、アメリカの有名大学の授業料は６００万～７００万円だといわれています。日本の私立大学の平均授業料は年間１５０万円くらいなので、これは４～５倍以上に当たる金額です。これだけお金があれば、ＳＴ比を低くでき、教育の質が保証されて優秀な学生が育つのは当然でしょう。

また、基礎研究の問題もあります。文部科学省のデータ（科学技術指標２０１９）によると、自然科学系の論文数は２００５～２００７年はアメリカ、中国に次いで第３位だったものが、２０１５～２０１７年はドイツに抜かれて第４位に後退。さらに世の中に影響を与えた論文数

（Ｔｏｐ10％補正論文数）では第9位に甘んじています。

21世紀に入ってからの日本のノーベル賞受賞者数はアメリカに次いで第2位ですが、ノーベル賞を獲ったのは30年以上前の研究がほとんどで、現在はとても「科学技術大国」とはいえない状況になっているのです。

いま、他大学の学長や副学長にいろいろと教えを請うているところですが、やはり皆さん、異口同音に「学術論文が増えないのは研究の予算が少ないからだ」といわれます。

国立大学が２００４年に独立行政法人化した際に、文部科学省は「大学は自ら努力をしてお金を稼げ」という考え方を打ち出しました。それももちろん大切なことですが、企業と協力するだけではできないことも多々あると思います。

たとえば、視点を変えて企業側からみてみましょう。「大学と協力して資金を出す」ということについて、企業側にどういったメリット（企業価値の向上）があるかをきちんと説明できないと、取締役会で賛同を得ることはできません。オーナー社長の企業ならいざ知らず、社外取締役がガバナンスを客観的にチェックしている普通の企業であれば、リターンが計算できない大学の基礎研究に資金を提供する企業は少ないでしょう。

これが応用研究であれば少し話は違います。たとえば、水分を従来製品の数倍吸収する画期的な高分子ポリマーを研究している大学教授がいれば、紙オムツメーカーは「この先生の研究室に投資したら、研究成果が手に入る」と考え、業績に直結するので社外取締役や株主も納得するでしょう。しかし基礎研究は、具体的な商品・サービスには直結しにくいため、「なぜうちの会社が、そんなわけもわからないものに資金を出す必要があるのか」という話になりやすいのです。

加えて、これまで国立大学は国の予算で運営してきたので、欧米の有名大学のような自己資金の蓄積もありません。先ほど触れたように、欧米の一流大学の自己資金は兆円単位で、その運用益だけでも膨大な額にのぼるのです。

したがって、基礎研究については、わが国ではどうしても国の教育予算に左右されざるを得ません。

もう一つ、ハーバード大学教授のロバート・パットナムは、『われらの子ども』(創元社/2017年)の中で、人間にどれだけ教育を施したら社会全体のウェルフェアが上がるか、ということを分析しています。そして、幼児期にしっかりした教育を施して認知能力と非認知能力を上げれば健全な子どもに育ち、リターンも大きくなることが、ほぼ疑いのない事実として実証されているのです。そうだとすれば、わが国がいちばん先に着手しなければならないのは、子どもの貧困問題であることは明らかです。

「国民生活基礎調査(大規模調査)」によると日本の相対的貧困率(等価可処分所得が、所得中央値の半分未満の人の割合)は2019年で15・4%(うち子どもは13・5%)。前回調査(2015年)の15・7%(同13・9%)よりはほんの少し悪化しました。子どもの6人から

7人に1人という高い割合です。予算が限られているなら、ここに資金を集中投入すべきでしょう。

ちなみにアメリカの相対的貧困率は、OECDの中ではワースト2位。日本より貧富の差が激しいことを物語るような数値ですが（日本はワースト7位、G7の中ではワースト2位）、IMFによるとGDP成長率の見通しは、日本やユーロ圏より上です。のちほど触れますが、教育予算も潤沢なので、相対的貧困率が日本より悪い数字だというだけで、「アメリカはもっとひどい」という単純な話にはなりません。

そもそも『われらの子ども』に書かれているような長期的な貧困の追跡調査は、予算の関係もあって日本ではなかなか実施できないのです。

エストニアに未来の日本を見る

OECDは国際的な学習到達度調査（PISA）を発表しています。これは3年に1回、15歳児を対象に、科学的リテラシー、読解力、数学的リテラシーの3分野について調査するものです。2018年は世界79ヵ国・地域（OECD加盟37ヵ国、非加盟42ヵ国・地域）、約60万人を調査した結果が出ています。

2000年の第1回調査以来、日本はいずれの分野でも上位に入っていて、2018年の調査では読解力が第15位に後退していますが、科学的リテラシーは第5位、数学的リテラシーが第8位となっています。

最近では中国（北京、上海、江蘇、浙江）が三冠王で、シンガポールやマカオ、香港、台湾、韓国などのアジア勢が上位を独占している感があります。これは中国に象徴されるように、アジア各国が着実に経済力をつけており、社会全体として優秀な子どもを育てようと努力をしている現れでしょう。

日本が1位になっていないことは、さほど大きな問題ではありません。平均で見れば、日本は優れた成果を示しており、G7では№1なのです。日本の問題はむしろ大学などの高等教育にあります。その結果に一喜一憂して短期的な対策を講じるより、これまで述べてきたように、子どもの貧困や大学の基礎研究の予算について真剣に議論することのほうが、よほど大事だと思います。

幼児期の教育がいちばん重要だということは証明された事実なので、子どもの貧困に目をつぶっていてはなりません。大学は日本の未来に直結するので、諸外国に先行したいのであれば、基礎研究をしっかりできる環境を整えなければいけません。そういう当たり前のことを、教育界は議論すべきだと思います。9月入学が見送られた件でもわかるように、全体像が見えていない、言い換えればグランドデザインを描ける人がいないというのが、日本の問題なのです。

さて、ＰＩＳＡ学習到達度調査で、アジア諸国とともに目立つのがフィンランドなどの北欧諸国、そしてそのすぐお隣のエストニアです。バルト３国（ラトビア、エストニア、リトアニア）の一角であるエストニアは、人口が１３０万人余りの小国ながら、２０１８年の調査では、３分野のいずれもがベスト10入りしており、とくに科学的リテラシーでは中国（北京、上海、江蘇、浙江）、シンガポール、マカオに次ぐ4位に食い込んでいます。読解力は5位、数学的リテラシーは7位と、いずれも日本より上です。

１９９１年に旧ソ連から独立したエストニアは、経済の自由度やＩＴへの集中投資などを背景に急成長。ＩＭＦ調べでは、１９９３年に１６９ヵ国中94位（１１９３ドル）だった１人あたり名目ＧＤＰは、２０１８年には１９２ヵ国中42位（２万３３３０ドル）まで急上昇しています。

インターネット電話サービス「スカイプ」を生んだ国でもあるエストニアは、世界に先駆けて電子投票の仕組みを構築。勤務先からでも、自宅でも国政選挙などへの投票が可能になっているほか、99％の行政手続がオンラインで完結するそうです。

どの国の経済でも、強くなるために必要なのは「人口×生産性」です。人口が少ない国は、一人ひとりの能力を上げていかなければなりません。フィンランドやノルウェーなどの北欧諸国は、その点を強く意識しています。数百万人の人口で、フランスやドイツなど６０００万～８０００万人もの人口を抱える大国に対抗していくためには、１人当たりの生産性で勝らなければなりません。だから教育に非常に力を入れており、エストニアにも同じことがいえるのです。

そう考えると、今後人口が減少すると予想されている日本では、一人ひとりの生産性を上げていくことが急務だ、という結論になります。比較統計を取りはじめた１９７０年以来、半世紀にわたってＧ７で最低の労働生産性を引き上げることが、経済成長の唯一の道なのです。

現在の日本は「肩車社会」に近づきつつある、といわれています。これは、生産年齢に達した人が高齢者を支えなければならない、という考え方に立脚した物の見方です。内閣府の『２０１８年度版高齢社会白書』によると、２０１８年10月1日現在の生産年齢人口（15〜64歳）は７５４５万人、65歳以上の高齢者は３５５８万人ですから、「騎馬戦以下肩車未満」が正確なところですが、趨勢としては肩車に近づいていくことは間違いありません（もっとも、生産年齢［現在は15〜65歳］の定義は見直すべきで、現状に即して考えれば、「20〜75歳」が妥当だと思います）。

しかし「肩車」という表現は「young supporting old」――若者が高齢者の面倒を見るという考え方を当然視しています。これに対して僕は、「肩車」という考え方自体を捨て去るべきだと思っています。そもそも、「young supporting old」は正しい考え方なのか、大いに疑問があります。

人間は動物です。動物の親が子どもの面倒を見るのは当たり前ですが、子どもが親の面倒を見ることはあり得ません。ということは、「young supporting old」という考え方は、自然の摂理に反していることになります。いわば、働いている人間から所得税でお金を集めて、住民票で年齢チェックをして、高齢者に敬老パスを配るという発想は、けっして普遍的なものではないのです。少子化が先に進んだヨーロッパではかなり以前からこの考えを捨てていて、「all supporting all」の世界になっています。消費税を前提に、年齢フリーでみんなが社会を支えて、シングルマザーや貧困世帯に集中して給付を行っているのです。その際、マイナンバーが威力を発揮しています。

これからは日本も、「all supporting all」の社会に変えていかなければなりません。直間比率を大きく見直して消費税を上げていく必要があるし、マイナンバーを活用して、本当に援助が必要な人に給付が届けられる体制を整えなければならないのです。「マイナンバーを登録したら、情報がすべて政府に把握されるからいやだ」などといっている場合ではありません。それをリスクと考えるなら、マイナンバーの管理を政府から切り離して、公平な第三者委員会に委ねればそれで済むのです。

どんな計算をしても、日本で少子高齢化が進むことは避けられません。「肩車の時代がやってくるぞ！」と闇雲に警報を鳴らすのではなく、現実を正確に把握して、「all supporting all」の考えに立脚して適切な対策を講じることこそが大切なのです。

日本の先生はとっても大変

日本の教育についてもう一つ付け加えると、教員の労働時間の問題があります。一部には教員がきちんと教えていないから、子どもの学力が向上しないのではないか、という批判があります。保護者の中には、「教員の教えるスキルが足りない」「教員の学力が低い」「教職は大手企業に就職ができそうになかった人のすべり止めにすぎない」などと、強く批判する声が少なからずあることは事実です。

しかしこれは、教員の資質やスキルの問題ではなく、わが国の学校が構造的に、いわばブラック職場化していることが原因だといえるでしょう。個々のエピソードではなく、全体のエビデンスをデータでしっかり見ないと、問題の本質は把握できません。

たとえば、中学校の教員は、先進国でいちばん労働時間が長いにもかかわらず、授業など教育にかけている時間は比較的少ないというデータがあります。ＯＥＣＤが5年に1回実施している国際教員指導環境調査（ＴＡＬＩＳ２０１８）によると、わが国の教師は、１週間のうち仕事をした時間が56時間と1位なのに対して、指導（授業）に使った時間はわずか18時間（世界平均20・3時間）でした。

長く働いているのに、授業以外に何をしているのかというと、事務作業や学校運営業務への参画、そして課外活動の指導（部活動など）にあてられています。なかでも課外活動の指導に割かれている時間は7・5時間とダントツです。

グローバルに見たら、部活の指導を教員がやっている国はありません。体育の先生が必ずしもサッカー部の監督に適しているわけではないでしょう。地域にサッカークラブがあればそこから指導に来てもらうとか、保護者の中のサッカー経験者などに依頼すればいいのです。

『ニューズウィーク』日本版に寄稿している冷泉彰彦さんは、『アメリカの部活動は、なぜ「ブラック化」しないのか』というコラム（２０１７年７月）の中で次のように指摘しています。

「（アメリカでは）校内での部活動あるいは選択教科としての活動と、地域での校外活動の役割分担ができている（中略）野球にしても、マシン打撃で速球に慣れるとか、バイオリンの音程や運弓が上手になるという『個人のスキル向上』の部分は、個人教授つまり民間に委ねられています。（中略）部員個人の技術向上のために顧問教諭が長時間の指導をしたり、指導スキルの訓練を受けていない上級生が無理に教えたりということはありません」

また、野球部なら先輩の試合中は応援をし、先輩の練習中は球拾いといった生産性の低いアクティビティはやらないそうです。

では、アメリカのような合理的な体制に移行するには何が必要でしょうか。ボランティアの顧問の先生に任せるのではなく、よりスキルの高い人にお願いするために必要なのはお金です。

その意味でも教育予算などの政策経費を増やせるように、財政再建を行うことは、喫緊の課題なのです。

僕はいつも、物事を正確に分析するためには、「タテ・ヨコ・算数」で考えることが大切だと思っています。タテは歴史的な視点で、昔の人はどう考えたのかと思いをめぐらせること。世界中の脳学者は、人間の脳はこの1万年間、全く進化していないと見ており、昔も今も何をどう判断するか、どういうことで喜び、どういうことで悲しむかという喜怒哀楽のツボは同じなので、タテで考えることはとても大事です。そしてヨコは世界の人がどう考えているかという視点を持つことです。

部活についていうと、1958年の学習指導要領では「生徒の自発的な参加によって行われる活動」だったものが、中学校では1972年改訂の学習指導要領から「必修」となり、2002年改訂の学習指導要領で必修ではなくなったという経緯がありますが、「教職員の指導の下に」行うという定義は変わっていません。だから、部活の顧問をするために、先生たちは他国の教員よりも長時間働くことになるわけです。

一方で世界に目を向けると、日本のやり方が非効率で少数派であることはすでに説明しました。そして、どちらのやり方が合理的で効果が上がっているかということは、労働生産性や学習到達度調査（PISA）などの結果――つまり数字（エビデンスといい換えてもいいですが）で判断しなければならないのです。

日本人は、とくにヨコ、つまりグローバルに見る視点が不得意だと感じます。ベルトコンベアの先だけを見ていればよかった製造業の工場モデルの時代は、もうとっくに終わっています。いまは価値創出、アイデアで勝負する時代に入っているのですから、視野は広く、視座は高く持ちたいものです。

〝教育再生〟には、政府の長期的なグランドデザインが不可欠

日本の教育にはさまざまな問題が横たわっていることをおわかりいただけたと思いますが、それを解決するのに必要な予算は全く足りていません。ユネスコによると教育費の対GDP比率（公的負担分）は、対象154ヵ国中で日本は107位（2017年）でした。OECDの中では常に最下位レベルです。金額で見ると、2020年度の「文教及び科学振興費」は約5兆5000億円。一般会計歳出に占める割合は5・5％で、ここ数年、おおむね横ばいです。

ST比を向上させて大学のレベルを上げたり、研究論文の数と質を高めたりするには教育予算を増やす必要があります。それなのに、教育予算が大きく増える兆しはありません。これは基本的にはわが国の負担と給付のバランス、つまりプライマリー・バランスが大きく崩れていることが原因です。

「給与は上がらないのに、税金や社会保険料などの負担が増えている」と実感している人は少なくないでしょう。しかし、世界的に見ると、実は日本の国民負担率（国民所得に対する、租税負担と社会保険料負担の合計の割合）は低いほうです。ＯＥＣＤによると、調査対象35ヵ国中、日本の国民負担率は下から９番目で43・３％（２０１７年）。それに対して、フランス、デンマーク、ベルギー、フィンランドなどの欧州諸国は60％を超えています。

日本は、このように負担は少ないのに給付は相対的に手厚く（社会保障支出はＯＥＣＤ諸国のなかでは中位の上のほう）、２０２０年度政府予算から国債費を除いた政策経費のうち、社会保障費が45・２％を占めているのです。これを20年前の１９９９年度予算と比べてみましょう。社会保障費が政策経費に占める割合は約31％だったので、15％弱増えている計算になります。もちろんこれは厚生労働省のせいではなく、世界でいちばん進んでいる少子高齢化にともなう必然的な帰結です。

「小負担中給付」のままでは、入ってくるお金と必要なお金との差は国債のかたちで穴埋めせざるを得なくなり、借金がいたずらに増え続けます。こんな状態をこのままにしておいていいはずがありません。負担と給付の問題——つまり、財政再建を加速させなければ、教育予算など新たな政策投資に回せるお金は増えるわけがないのです。

政府は２０１９年10月、消費税を２％上げて10％とし、幼児教育無償化や高等教育の条件付き無償化を実現させました。それ自体はとても意義のあることだと思いますが、プライマリー・

バランスの黒字化にはまだぜんぜん足りません。ＯＥＣＤは２０１９年4月、「今回の消費増税の効果は、5％から8％に引き上げた２０１４年のときよりもインパクトが小さく、消費税だけでプライマリー・バランスを黒字化させるなら、消費税率を20～26％にする必要がある」と指摘しています。

政府がきっちりと財政再建に取り組み、さらなる増税などの痛みを伴う改革を断行する――。これは基本的にはリーダーの役割だと思うのですが、日本はそれをずっと先延ばしにしてきました。「２０２０年に達成する」としていた財政再建に向けた政府のプライマリー・バランス黒字化目標も２０２５年に後退してしまいましたが、それも２０２０年のコロナウイルスへの対応で国債を大幅に増発したため、おそらく実現は不可能でしょう。

教育にかけるお金が多いほど、教育は充実していく。これは単純な事実です。そして、一日も早く財政を再建して、教育にかける資金を増やしていかないと、日本の教育事情はますます危機的な状況になっていくでしょう。

そういう認識を強く持ち、必要な施策を断行できるかどうかは、リーダーを含めた社会のグランドデザイン創出能力にかかっています。日本をどういう国にしていくのか、それに対して必要な施策は何か、ということを広く長い視野でとらえ、必要であれば短期的にはマイナスと思われることでさえ構想できる社会であるかどうかが問われているのです。

先ほども触れましたが、２０２０年、コロナ対策の中で全国知事会は秋入学を提言しました。

これに対してすぐに「こんな大変なときに」というダメ出しが入りましたが、あのような緊急時だったからこそ、思い切ったグランドデザインが描けたはずです。

僕の友人は秋入学というアイデアが出たとき、「この国はやらんな。ダメ出し親父＋ノイジーマイノリティ（病質的悪質クレーマー）＋そのノイジーマイノリティネタでメシ食ってるメディアの天国だからねぇ」とつぶやいていましたが、ニューノーマル（コロナ後の世界）を切り開くには新たなグランドデザインが不可欠です。もとの世界に戻ろうとするだけでは、壮大な無駄になることは、フランス革命後のウィーン体制を見ればよくわかるではありませんか。

グランドデザインがいかに重要かという事例は、枚挙に暇がありません。たとえば春秋戦国時代、群雄していた大小の国々を統一した始皇帝は、他国では当たり前だった豪族による支配（封建制）ではなく、法による支配を徹底して中央集権的な官僚制度を作り上げました。官僚の登用に当たっては、家柄には関係なく実力で出世できることとしたのも他国を圧倒できた理由で、極端にいえば現在の中国も始皇帝のグランドデザインの上に成り立っているのだと思います。

また、前述した江戸末期の老中・阿部正弘は、鎖国が国是であった時代に「開国・富国・強兵というグランドデザインを描き、ペリー来航にあたっては朝廷や雄藩の外様大名にまで意見を求めながら開国を実現。一方で武芸訓練機関である講武所や、洋学を研究する蕃書調所《ばんしょしらべしょ》、長崎海軍伝習所などを開設してさまざまな教育に力を入れました。陸軍や海軍、東大などの前身を用意したのです。1854年に創設された地元福山藩の藩校・誠之館《せいしかん》でも、身分を問わず教育を授けています。彼もまた、江戸時代末期という見通しのききにくい混沌とした時代にあって、高い視座を持った優れたグランドデザイナーだと思います。

実は、日本にもそういう資質を持ったリーダーは、たくさんいると思います。ただ、その人を活かす環境がないだけでしょう。高度成長時代、「日本の経済は一流、政治は三流」といった財界人がいました。ですが、世界の歴史を見ていると、経済だけが一流で、政治が三流などということはありえません。どちらも一流か、ともに三流かしかありえないと僕は思っています。だからこそ、グランドデザインを描けるリーダーを、みんなで見出して育てていかなければならないのです。

大学生が勉強しないのは誰のせい？

ＡＰＵでは英語と日本語で教育を行っており、日本語基準の学生には、英語を集中的に学ぶカリキュラムに加えて、ブラッシュアップするさまざまなプログラムが用意されています。また授業では、英語で読み書きしたり、プレゼンテーションしたりする機会が多いので、海外に行っても通用する語学力を身につけることができます。

文部科学省も、国際的な場で通用する人間を育てなければならないという問題意識を持っており、小学校段階から英語学習の時間を増やすなど学習指導要領を改定する予定です（中学校は2021年から、高校は2022年から）。

ただ、日本人の英語力が低いのは定評のあるところで、中学、高校、大学と英語の授業を受けていても、英語で意思を伝えることができない人がごろごろいます。

この事実について、「英語を教えられる先生がいないから」「先生の発音が悪いから」などと、教える側の問題を指摘する人が多いのですが、僕はそうは思いません。単純にインセンティブ（＝動機づけ）の問題だと思っています。

たとえば経団連の会長と全銀協の会長が共同記者会見をして、「TOEFL　iBT®で80～90というスコアがなければ採用面接はしない」と宣言すればいいだけの話です。

学生がなぜいい大学を目指すのかといえば、会社に入るためですね。だとすれば、理想とする就職先から「TOEFL　iBT®のスコアが80～90なければ不採用」といわれたら、大学の英語教育がどんなものであれ、学生は必死で勉強します。英会話スクールなどのレベルも上がるでしょう。

日本で暮らす外国の人が多かれ少なかれ日本語を話せるように、外国語は勉強すれば誰でもできるようになるものです。つまり、偏差値と直結するものでもなく、頭のデキがどうこうという問題でもないと思います。インセンティブの設計次第なのです。

人間は自分でやる気にならなければ何事でも上達しません。日本の教育界は、「人間とはどういう動物か、どこを刺激すれば動くようになるのか」をよく見極めて、言い換えれば脳科学や心理学の知見をよく学んで、最適な教育システムをつくっていかなければならないと思います。

英語だけではなく、勉強全体についてはどうでしょうか。さきほどＰＩＳＡの話をしましたが、日本では義務教育が終了する15歳くらいまでの段階では、国際的に見てとてもいい成績を収めています。つまり、この段階までは公教育はかなりうまくいっているといえるでしょう。お金を投下していないのにうまくいっているのは、先生の情熱のおかげだと僕は考えています。でも、大学に入ると勉強をしなくなります。

総務省の「社会生活基本調査」（２０１３年）によると、学校での授業と宿題を合わせた学習時間は中学生が最も長く、その次は高校生となっています。大学生は、なんと小学生よりも学習時間が短いという結果でした（「社会生活基本調査」は5年に1回実施されており、２０１６年版も公開されていますが、「学習時間」等は調査されていません）。

また、少し古いデータになりますが、東京大学大学院・大学経営政策研究センターが実施した『全国大学生調査』（２００７年）では、日本の大学生が勉強をしていない現状が浮き彫りになっています。日本の大学1年生は、授業も含めて学修時間が1週間に「1～5時間」と答えた者が最も多かった（57・1％）のに対し、アメリカの学生は「11時間以上」と答えた者が最も多かった（58・4％）のです。

経営コンサルタントの波頭亮さんは、マサチューセッツ工科大学教授の伊藤穰一さんとの対談の中で次のように指摘しています。

「大学卒業までに読むテキストの量の日米比較で、米国の大学生は4年間で400冊読むのに対して、日本の大学生はわずか40冊しか読んでいないということらしいです」

（「結局、日本人は努力の総量が足りない」東洋経済オンライン　2013年8月18日）

アメリカの大学は、とにかく本を読まないと卒業できません。先生が指定した本を読んでいかないと、授業についていけず単位が取れない――つまり、読書量が成績に直結するのです。

それに関連して、たとえばハーバード大学を卒業したとしても、それだけで一流企業への就職が約束されているわけではありません。スコア（4点満点の成績）を尋ねられ、「3・5です」（つまり90点未満）と答えれば、きちんと勉強していないと判断され、「もうけっこうです」といわれかねないのです。これは、けっして「いろいろな事情を斟酌していない機械的なジャッジ」ではなく、きわめて合理的な判断だと思います。自ら選んだ大学や学部でがんばった人は、自分で選んだ職場でがんばる蓋然性が高い、といえるからです。

翻って日本の大学事情や就職事情を考えてみましょう。アメリカの大学生の10分の1しか本を読まず、したがって勉強をしていない日本の大学生に、奮起を促すにはどうすればいいでしょうか。

「なぜ学生は勉強しないのか」といえば、就職に困らないからに間違いありません。入学試験に通ったあとは、ところてん式に卒業できて、企業もクラブ活動やアルバイト経験を聞くだけで、成績など誰も気にしないということを学生みんなが知っているからです。これでは、「一所懸命、勉強をしよう」というインセンティブが働くわけがありません。

ですから、大学生が勉強しないのは100%企業の採用慣行が悪いと思います。先ほどの英語教育と同じで、たとえば「優が7割以上なければ採用面接を受けられない」ことにすれば、つまり、採用基準に成績第一と記せば、学生は否応なく勉強するようになるでしょう。

「面接採用」の限界

といっても、大学の成績は平均点ではなく、自分の好きな分野、得意な分野だけでもきちんと「優」を取っていたなら、評価していいと僕は思います。すべてにおいて「平均点以上を」というのは、製造業の工場モデルの延長線上の発想といえます。しかし、これからの社会で求められる〝発想力〟は、平均点で測れるものではありません。

企業側がもっと柔軟になって、徹底した成績採用を行うか、あるいは全く逆の発想に立つ、極論すれば「学歴は一切見ません」という考え方をしてもいいと思います。前職のライフネット生命の定期採用基準は「30歳未満」だけで、国籍も経歴も性別も一切不問。試験内容はかなり難しい課題に沿った論文（時間や字数は無制限）提出のみでした。これは知識力と考える力の両方を見極めているわけで、究極の成績重視だと僕は思っています。

もちろん、それぞれの企業にはそれぞれの採用基準があってしかるべきで、「優」の数を評価してもいいし、大学院生でも簡単には解けないような難しい試験を課してもいいでしょう。また、運動クラブでずば抜けた成績をあげたとか、ＮＰＯの活動で社会的に表彰された人がいたならば、それも一つの立派な成績です。

しかし、「こいつは素直そうだ」とか「上司のいうことを聞きそうだ」という印象だけでの選抜はやめなければなりません。そもそも、多くの企業が入社試験で取り入れている「面接」は、実はほとんどが面接担当者の好き嫌いで決まっているのです。

面接は選択を誤りやすいということは、ニューヨーク・フィルハーモニックのブラインドオーディションで明らかになっています。

世界最高峰の一つ、ニューヨーク・フィルでは従来、欠員が出るたびに音楽総監督やコンサートマスターが面接試験をして欠員を埋めていたのですが、あるとき「白人の若い男性ばかりが採用されている」ということに気がつきました。そこで、カーテンの向こう側で演奏をしてもらうブラインドオーディションに切り替えたところ、合格者には非白人（ノンホワイト）や女性、高齢者が増え、かつ楽団のレベルが格段に上がったのです。

この事実は、音楽総監督やコンサートマスターという人格的にも能力的にも優れた人でさえ、見た目のバイアスに騙されるということを示しています。もし、5年や10年、採用担当をしている人が、その経験から「人を見る目には自信がある」というのであれば、「あなたはニューヨーク・フィルの音楽総監督やコンサートマスター以上に人を見る目があるのですか？」と尋ねてみたいですね。リクルート総研の調査では、入社時の面接結果と、入社後のパフォーマンスとのあいだには、ほとんど相関関係がなかったそうです。

もちろん、企業だけではなく、大学の先生の意識も変えていかなければなりません。以前、友人の経済学の教授と次のような話をしました。

某教授　「学生に経済学の本を読ませたいんだが、いいやり方はないかな」

出口　「経済学の基本はアダム・スミスだから、学生に『国富論』を読ませたらええやんか」

某教授　「それは無理だよ。学生たちはウィキペディアで、アダム・スミスは〝市場経済の父〟と呼ばれる人で、主著『国富論』には〝見えざる手〟という有名な文句がある、ということを知り、それで十分だと考えているんだから」

出口　「試験は『国富論』から2～3問出すから、読んでこなければ試験は通らへんで、といえば？」

某教授　「そんなことをしたら、俺もまた読み返さなければならなくなるじゃないか」

出口「試験問題はキミが作るんだから、たまたま開いたページから問題を作ればええだけやろ」

某教授「なるほど！」

酒の席の冗談ですが、こうすれば学生は本を読むようになります。企業の採用基準を変えると同時に、大学側もそれに合わせて意識改革をしていかなければならないと思います。

いま、さまざまなメディアが「大学の淘汰」を喧伝しています。これから18歳人口が急激に減少していく。一方で大学や学部の数は増え続けている。これではいずれ、破綻する大学が次々に出てきてもおかしくない、というわけです。

そもそも、明治政府が帝国大学をつくったのは、「近代国家をつくるために、官僚を育てよう」と考えてのことでした。これは13世紀のローマ皇帝フェデリーコ2世が設立した官製の「ナポリ大学」と同じ発想です（フェデリーコ2世はナポリ大学を、自治団体として成立した「ボローニャ大学」の向こうを張るためにつくりました）。つまり、日本の大学はもともと「国家を担う官僚をつくるための学び舎」という役割を担っていたのです。先に「大学は輸出産業だ」という話をしましたが、そういう背景もあってピンとこない人が少なくないのです。

また、いまでは旧帝国大学や地方国立大学だけではなく、私立大学も官僚を輩出しています。けれども、そもそも官僚を輩出するのが大学の役割だとしたら、こんなに多くの大学がある必要はないのではないか、という疑問が出てくるのも、無理はありません。

しかし、すでに説明したとおり、日本は大学進学率が低いし、社会人を含めて勉強させようと考えたら、大学の数はこれでも足りないくらいだ、という意見もあります。また、世界的に見ると人口も中産階級も増えています。つまり、大学は世界的に見ると成長産業なのです。日本だけを念頭に考えるから解が見つからないだけで、世界中の学生を受け入れたらいいのです。実際、インドのモディ首相は、「インドはこれから1200の大学をつくらなくてはならない」といっています。

視野を狭くしてしまうと、常識的なことしか目に入らず、大事なことが見えなくなります。常識にとらわれず、何が人間にとって大事かを自分の頭で考えることが必要です。その意味で、僕は〝Think globally〟という言葉を大切にしています。数字（データ）やファクトを踏まえて自分の頭でロジカルに考える、という意味です。

アップル創業者のスティーブ・ジョブズがアップルに復帰したとき、キャンペーンのキャッチコピーとして〝Think different〟というメッセージを使いました。たった2つの単語にさまざまな意味合いを圧縮した、ジョブズらしいすばらしいメッセージだと思います。それにあやかるわけではないのですが、〝Think globally〟はいろいろな場面で生きてくる、一つのキーワードだと思うのです。

学びのスペシャリスト対談―3

考えるバカが世界を変える

「バカになる」とは常識を疑うこと。
物事を鵜呑みにせず、
常に疑う気持ちを持ち続けることだ。
そして、一つのことに集中できる「変人」と、
ゼロベースで考えることのできる「バカ」が
世の中を変えていく力を持つ。

生田幸士 Koji Ikuta

1953年生まれ。大阪大学工学部金属材料工学科と同大学基礎工学部生物工学科卒業。同大学院博士前期課程修了後、東京工業大学大学院博士後期課程・制御工学専攻修了(工学博士)。

1987年4月より米国カリフォルニア大学サンタバーバラ校ロボットシステムセンター主任研究員。帰国後、東京大学専任講師、九州工大助教授、名古屋大学大学院教授等を経験し、2010年より東京大学大学院システム情報学専攻教授、先端科学技術研究センター教授。2019年に定年退職し、東大名誉教授、名古屋大学名誉教授、大阪大学医学部招聘教授、立命館大学理工学部客員教授。

新概念、新原理の医用ロボット、医用マイクロマシンを多数開発。数々の賞を受賞しているほか、2010年には紫綬褒章を受けた。著書に『世界初をつくり続ける東大教授の「自分の壁」を越える授業』(ダイヤモンド社)、『世界初は「バカ」がつくる!』(さくら舎)などがある。

「ロボットという子どもの頃の
夢を追い続けられたのですね」

出口治明――Haruaki Deguchi

「僕はアホやから、単に
成長しなかっただけです（笑）」

生田幸士――Koji Ikuta

出口治明 生田先生は医療用マイクロマシンや大腸の内視鏡検査に使える新しいロボットなどを開発してこられたそうですね。ロボットの研究は、子ども時代からの夢だったのですか？

生田幸士 やはり「鉄腕アトム」や「鉄人28号」を見てあこがれました。といっても、「いつかロボットをつくろう」という夢を抱いたのではなく、「自分がアトムになって敵と戦おう」と妄想していたわけですが（笑）。

中学生になって、「自分はアトムにはなれない。つくる側になるしかない」と気づいたとき、当時は東大の助教授だった森正弘先生の入門書を読んで一気にファンになりました。本は何冊も読んだし、森先生のテレビ出演があるときは、高校の授業をサボって近所のうどん屋さんでテレビにかじりついていたほどです。

それから紆余曲折を経て、東工大の博士課程に進み、森先生に教えてもらうことができました。森先生は大先生なので、年に数回しか直接お話しする機会はなかったのですが、そのなかで印象に残っているのは、研究室の飲み会で「生田くん、まだ論文を書くための研究をしてるのか。もっとバカにならなあかんよ」と言われたことです。

僕が、「バカだからまだ論文が書けないんです」と答えたら、「論文なんてどうでもいいから、自分がおもしろいと思ったことを追求しなさい。そうしたら結果はついてくる」といわれたのです。

当時の僕は家庭教師のバイトをしながらなんとか食いつないでいたので、内心では「そりゃ大教授は気楽でええわ」と聞き流していました（笑）。いまならその意味がわかりますが……。

出口　人間がその能力を存分に発揮できるのは、自分がおもしろいと思ったことをとことん追求するときなので、森先生のおっしゃることは理にかなっていると思います。

生田　そうですね。だから博士課程で森先生のおっしゃるとおり、バカになって、肛門からお腹に入っていくヘビ型の能動内視鏡の研究を続けていました。ただ、そんな変わった研究だと、日本では評価してもらえません。国内の大学で職を探していたのですが、なかなか色よい返事をいただけるところがなくて……。そんなとき、カリフォルニア大学サンタバーバラ校から声をかけていただき、それから2年間、ここで働きました。

出口　理解できないことがらに直面したとき、それを排除してしまう日本式と、わからないことをおもしろがるアメリカ式の違いですね。

生田　おっしゃるとおりです。

帰国することになって、東大の講師のポストをいただいたのですが、あらためて後悔しました。東大は普通の大学の3倍は会議があって、細々とした用事も多い。僕を呼んでくれた有本卓先生は雑用を押しつけるようなことは一切ありませんでしたが、他の先生は下っ端の僕に雑用をどんどん押しつけてきます。朝から大学にいるのに、自分の研究を始められるのが夜の7時。これはおかしいぞと。

その後、九州工業大学で助教授、名古屋大学で教授を務めさせていただいたのですが、会議の多さは東大と変わりません。「欧米なら会議数は10分の1しかない。それでも回る仕組みをつくったらええねん」と主張していましたが、結局何も変えられませんでした（笑）。

出口 アメリカをはじめとする海外の大学では、研究そのものを行う教員の役割と、研究活動をサポートし、その成果を内外に伝えていく大学リサーチ・アドミニストレーター（RA）の役割が明確に分けられています。ところが日本の大学では、一般に研究とマネジメントの両方を先生たちがやらなければならない仕組みになっていますから、その負担は大変ですね。

生田 そのとおりだと思います。では、日本の大学が、マネジメントに関してもきちんとやっているかといえば、私は疑問ですね。あれはマネジメントではなく、その真似事だと思います。たとえば欧米の場合、学長や学部長など大学のマネジメントを主な業務とする職種は、教授の中からマネジメント能力と人格がともに備わった方が40歳台から学部長として選出され、その中から経験を積んだ人が選抜されて副学長、学長になります。さらに大学のマネジメントで実績を挙げると、別の大学から幹部としてヘッドハンティングされ、いっそう経験を積みます。企業トップが、もっと大きい企業で社長を務めるのと同じです。

一方日本の場合、学部長はその学部に所属する全教員の投票で決まるので、実績より人気投票となりがちです。大学が大失策をした場合以外、革新派にはあまり票は入りません。

また、反対意見が出された場合、アメリカなら仲のいい相手に対してもロジカルに反論し、相手がまたロジカルに反対するということを繰り返して妥結点を探りますが、日本ではそうではありません。ロジックで戦うかわりに、「まあまあ、ここはひとつ……」と情に訴えるだけです。

出口　ちなみにカリフォルニア大学の場合、先生に対する評価はどのようにして決められていたのですか。

生田　まず、研究者の本分である論文や研究業績ですね。次に、それを前提とした研究費。アメリカの大学では修士1年目からRAを雇いますから、プレゼンをしっかりやって研究費を取らないと、何もできません。そして教育です。研究費を取って論文を書いていても、学生による評価が低いと出世は遅れます。

出口　つまり、学生を満足させないといけないわけですね。

生田　ええ、そうです。

カリフォルニア大学時代、ある教授の研究室に遊びに行ったら、「今日はコーヒーを飲んだらすぐに帰ってくれ。明日、授業だから、その準備で忙しくて」といわれました。

日本の大学では、「毎年同じことを教えるのだから、準備なんてたいして必要ない」というのが暗黙の了解というか、半ば常識になっています。ところがその教授は、「学生は毎年変わるから、こちらも毎年、講義内容を最適化しなければならないんだ」というのです。意識の差を見せつけられたような気がしました。

「日本社会の同質化圧力から脱却するには何が必要ですか?」

出口治明――Haruaki Deguchi

「ズバリ、社会に多様性をつくることです」

生田幸士――Koji Ikuta

生田　先ほど、僕がカリフォルニア大学で採用された経緯をお話ししましたが、欧米では人と違うことが強みとして評価される教育システムになっています。ところが日本では、人と違っていることは全く評価されません。ずっと昔から、ほかの人と違うことをしていると「直しなさい」といわれてしまう。これは大きな問題だと思いますね。

出口　「昔」といっても、これほど画一的になったのはせいぜい戦後の話です。だから、日本人はまた変わることができると思いますよ。

生田　え⁉　明治時代も「欧米列強に追いつけ追い越せ」とやっていたので、オリジナリティの高い人が尊重されていたようには思えませんが、そうではないのですか。

出口　明治・大正時代には、めちゃくちゃユニークな人が山ほどいました。孫文の辛亥革命を資金面で支えた長崎の梅屋庄吉、東京・日本橋の木綿問屋の家に生まれ、オックスフォード大学に留学したあとパリに移り住み、豪奢な生活をして数百億円も散財した薩摩治郎八などは、そのほんの一例です。尖った人が活躍できる時代だったのです（拙著・『戦前の大金持ち』〔小学館新書〕をご覧ください）。

ただ、生田先生がおっしゃるとおり、戦後の日本は製造業の工場モデルをベースとした、同質化圧力が非常に高い社会になってしまったことは事実です。そこから脱却するには何が必要だと思われますか。

生田　その答えはシンプルですよ。女性や海外に出て活躍している人に、高い給料を払って日本の大学や企業に戻ってもらい、社会に多様性をつくる。企業だけではどうにもならないでしょうから、国が助成金を出してサポートする必要があります。

こういったことは、中国やシンガポール、その他のアジアの伸びている国々はみんなやっていることです。

出口 僕は、多様性という意味でとくに罪が重いのは経済界だと思います。Facebookに、次のようななぞなぞがありました。

「全員日本人の男性、女性はひとりもおらず、最年少が60歳代。みんな日本の大学卒で、起業はおろか転職経験も副業もしたことがない。これ、誰だ」

答えは経団連だそうです。

生田 それは東大と似ていますね。役員クラスは、短期の留学経験はあっても、東大から出たことのない人が多い。欧米だと母校の学長どころか教授にもなれないのが当たり前ですが、日本はむしろ他の大学に出ることが評価されません。

出口 日本でユニコーンと呼ばれる新興企業が誕生しにくいことと、ダイバーシティが足りないこととは、密接な関係があると思いませんか。

生田 おっしゃるとおりですね。アメリカや中国では、学業の成績が芳しくない人についても、一芸に秀でた人も、基本的にほったらかしです。一方、日本は成績がよくない人をカバーしようとする一方、突き抜けた人の存在も認めようとしません。これではイノベーションは起きにくく、ユニコーンも育たないと思います。

「落ちこぼれ」とはまた別の「吹きこぼれ」という言葉をご存知ですか？

「落ちこぼれ」という言葉をご存知ですか？　たとえば数学だけはものすごくできるけど、コミュニケーション能力が低くてクラスで浮いてしまう——。そういう突き抜けすぎてはみ出してしまう子を指す言葉です。日本には、その吹きこぼれをカバーする仕組みもないんですよ。

フィールズ賞を獲られた広中平祐・京大名誉教授／元山口大学学長は、京都大学数理解析研究所の教授を務められていた時代に、日本に吹きこぼれをカバーする仕組みがないことを嘆いて、主に高校生を対象とした「数理の翼」という夏合宿を始められました。そうした取り組みをあらゆる分野でできればいいのですが……。

出口　僕は日本の一番の問題は構造的な「低学歴」だと思っています。これは、大学や大学院への進学率がOECD加盟国の中では低順位、かつ学生が大学でほとんど勉強しないということと、社会に出れば「メシ・フロ・ネル」の長時間労働で勉強する時間がないという、ふたつの意味を含んでいます。

たとえば、企業の経営層には立派な大学を出ておられる人が少なくありません。ところが、そういう人が「外国人との会食などでは、政治や宗教の話題はご法度だよ」などという話を平気でするのです。

これは大きな勘違いで、僕はロンドンで3年、日本生命の国際業務部長として3年の計6年しか海外業務の経験はありませんが、100人以上会ったグローバル企業のトップは、政治や宗教の話が大好きでした。

では、どうして日本の経営者が勘違いをしているかというと、外国人が彼らに合わせて話のレベルを下げているからです。日本人経営者に政治や宗教の話を振ってもロクな答えが返ってこないので、彼らは天気やゴルフ、ワインの話をして、調子を合わせてくれているのです。そういう人々は、受験の成績はよかったのかもしれませんが、忙しすぎて教養を深める時間が持てなかったのでしょう。

外国人に限らず、人とコミュニケーションを取るときには、相手に興味を抱いてもらえるような引き出しを、いくつ持っているかということが問われるのですが、残念ながら日本のエグゼクティブにはその引き出しが足りません。つまり、長時間労働で勉強する時間が足りないのです。

知識も教養も足りないから、何ごとにつけてもファクトに基づいてロジカルに論じるのではなく、ついつい成功体験をベースにした根拠なき精神論に走ってしまうのです。

生田 なるほど、納得できます。

出口 社会人が勉強しないということは、長時間労働に加えて、学生時代に勉強する癖がついていないということです。向学心のピークは18~19歳くらいだといわれていますからね。これを変えるにはどうすればいいか――。いろいろな考え方があると思いますが、僕は企業の採用基準を変えれば、すべてがガラリと変わると思っています。

生田　僕は知識やスキルを問うよりも、創造性を磨く方向で厳しくしてもらいたいですね。たとえば授業では「タマゴ落とし」というイベントをやっています。これは生タマゴを地上30メートルの高さから、割れないように落とすもので、使える道具はB5サイズのボール紙と糊だけ。それを使ってクッションをつくってもいいし、タマゴに羽をつけてもいい。これは創造力がかなり鍛えられますよ。

出口　それはおもしろいですね。創造性は「知識×考える力」です。考える力をもう少し具体的に述べると、考える型やパターン認識の蓄積です。つまり先哲の考える型や発想のパターンを学ばないと、創造的なアイデアは出てきません。型を学ばないと型破りな発想も生まれない。

生田先生のゼミ生のように、みんなが勉強しているという前提ならタマゴ落としで選抜するのはとてもいい方法だと思いますが、多くの学生はまだそのレベルに達していないんじゃないでしょうか。

創造性のある人材が欲しければ、まず企業が勉強している学生を積極的に採用すべきです。そして、採用後も社員が勉強し続けられる環境を整えないといけない。平成の30年間、正社員の年間の平均労働時間は約2000時間で全く減っておらず、勉強する時間はありませんでした。こういう状態を放置しておいて、若い社員はダメだなどというのは責任転嫁も甚だしいと思います。

生田　僕たちが若い頃はまだ、大企業に人を育てる余裕があったんですけどねえ。いまはどこも「即戦力が欲しい」といって、育成を放棄している。そのわりに給料を上げていないのですから矛盾しています。

企業が問題だとして、そこのトップにいる人たちの考え方は、どうすれば変えられると思いますか？　起業家ならともかく、雇われ社長で無難にやってきて上に昇りつめた人たちが、そう簡単にいままでのやり方を変えるようには思えないのですが……。

出口　ボコボコになるまで問題点を指摘し続けるしかないと思います。彼らは自分を賢いと思っています。そこが厄介なのですが、一方で相対的に知的レベルが高い人は、180度意見を変える可能性がある。たとえば安土桃山時代、日本のキリスト教人口は約40万人で、人口比でいうといまの数倍以上の信者がいました。実はその多くは、元お坊さんです。学のある人のほうが、理屈で負けたらコロッと転向するのです。

生田　欧米の人はロジックで負けても、人格を否定されたとは思わないので、議論のあとに仲良く食事に行ったりします。しかし日本人は、その切り替えができなくて、険悪になってしまいそうな気がするのですが。

出口　7割はそうでしょうね。でも3割の人が考え方を変えてくれれば、そこから雪崩を打つように状況が変わるはずです。その臨界点を超えるまで、追従せずにおかしいことはおかしいと言い続けていくことが大切だと思います。

「まず自分が楽しまないと、
いいアイデアは生まれませんね」

生田幸士――Koji Ikuta

「加えて、サボりたいと思う気持ちが
イノベーションを生むのです」

出口治明――Haruki Deguchi

出口 ところで生田先生は、研究業績はもちろんすばらしいのですが、教育方法がとてもユニークで興味深い。テレビでも取り上げられた「バカゼミ」は、どういう目的で始められたのですか。

生田 バカゼミは、1984年に東工大の梅谷陽二先生の研究室で、広瀬茂男助教授といっしょに始めました。もともと、ゼミで1泊の春合宿をやっていたのですが、酒を飲んで騒いでいるだけではマンネリになる。何か楽しいことをやろうということで、バカな研究を真面目にプレゼンテーションする企画を考えました。

出口 イグ・ノーベル賞のようなものですか。

生田 発想は同じです。ロボット工学の第一人者で、僕たちの師匠である森先生は「不まじめ」ならぬ「非まじめ」のマインドを持てとおっしゃっています。これは〝ぐうたら〟〝ふざけている〟というニュアンスの「不まじめ」や、四角四面に取り組む「まじめ」ではなく、その両者を超えたところに答えは見つかる、という意味です。

学生がプレゼンしたあとに点数をつけますが、アカデミックな観点で10点、バカの度合いで10点の20点満点で評価して優秀を競います。

たとえば第1回のグランプリを獲ったのは、「正しい大阪弁を学ぶ学習システム」、次の年は「地震雲の研究」、さらにその翌年は「女性の生理の周期を振動子としてホロニックコンピュータをつくる研究」でした。なんだかバカらしいでしょう？

最初は親睦だけの目的で始めましたが、やってみると、そのメリットに気がつきました。大学のゼミでは、教官に与えられたテーマに沿って論文を書くのがスタンダードですが、バカゼミではテーマも解決法も自分で見つけなければなりません。これは学生にとって絶好の機会です。そこで、僕が名古屋大学、東京大学に移っても続けているのです。

いまでは生田ゼミだけでなく、われわれの東工大の弟子たちがいろんな大学でバカゼミをやっているようです。

出口　僕は物事を進めるときには4つの「P」が必要だと考えています（192ページ参照）。つまり遊び心です。やはり真面目に考えるだけでは、いいものは生まれませんね。

生田　ええ、創造性に関しては、遊び心がすべてです。楽しまないといいアイデアは出てきません。莫大な利益を生んだアイデアも、それ自体を目的にしていたらきっと生まれなかったでしょう。自分がおもしろいと思うことをやっていたら、結果的に利益や業績につながったというケースのほうが多いはずです。

出口　遊び心のほかに、イノベーションを起こす要素をもう一つあげるとしたら、「サボリ」ではないでしょうか。僕はこれを、「4＋5＝9はあかん」と表現しています。

たとえば夕方の4時に、上司から5時間分の仕事を言いつけられたとします。真面目な人は、夜7時からデートする予定が入っていても、素直に足し算をして9時まで仕事をする。でも、サボりたい人は、7時までに仕事を終わらせる方法を必死に考えます。そこで初めてイノベーションや生産性の向上につながる改善策が生まれるわけです。

生田 おもしろい視点ですね。遊ぶのも怠けるのも、もとをたどれば「もっと気持ちよくなりたい」という人間の欲ですね。Facebook創業者のマーク・ザッカーバーグは、彼女が欲しくてあのSNSをつくったといわれています。Facebookの是非は別にして、欲望に則って走り出した人が新しい地平を切り拓くのでしょう。

出口 「バカになる」ということは、「常識にとらわれない」と言い換えてもいいと思いますが、常識を疑う力をつけるにはどうすればいいと思われますか？

生田 研究者に対しては、「人の論文を鵜呑みにしたらあかん。自分が実験していないものは信じたらあかん」といっていますが、これは誰に対しても通用するのではないでしょうか。たとえば中学校の教科書に「物質には重力が働く」と書いてあったら、それを本当かどうか、自分で確かめてみなよと。

若い世代に自分で考える習慣がないのも、入試システムの弊害だと思います。

出口 日本の入試はクイズ王になるための試験ですね。もっとも、マークシート型の一斉試験には、AO入試などとは異なり、格差が表面化しにくいという利点もありますが。それでも、フランスのバカロレアと比べると質が段違いで、2017年には「物事を知るには観察だけで十分か」「芸術は美しくある必要があるか」などの問題が出されました。18歳に対して、こんな質問を出すのは、さすがに哲学に造詣が深いフランスならではの話ですよね。

しかも、受験者は約70万人。それで採点しているのですから、日本の入試改革で記述式論文は採点できないなどと騒いでいるのは、どこかおかしいですよね。

生田　もう一つ、実際に頑張っている人を積極的に引き上げるような仕組みがないと、日本はますますガラパゴス化して欧米やアジアと戦えなくなると思います。

実は２０１８年にＩＥＥＥ（世界電気電子学会）で、過去30年間に最ものちの研究に影響を与えたMost Influential賞が新設されたのですが、第1回の受賞作に、僕が30年前に書いたヘビ型ロボットの論文が選ばれました。もちろん僕個人としてもうれしいですが、それ以上に、当時全く評価されなかった論文を、あとからきちんと評価する環境があることに驚きました。日本にもこういう環境があれば、ヘタに空気を読まないで、尖った研究をする研究者がもっと増えてくるはずです。そう思って、いま自分の所属学会にも「日本版Most Influential賞」を提案しているところです。

出口　それ、いいですね。ぜひ作ってください。

生田　ポイントは、最初はマイナス評価だった研究を再評価すること。たとえばｉＰＳ細胞のように最初からプラス評価の研究ではなく、最初はマイナス評価でも、10年、20年後にプラスになる研究を対象とします。微分値、つまり最初と数年後の勾配が大きい研究を評価してあげれば、いまくすぶっている野心的な研究者も希望が持てるでしょう。

現在は起業家、アーティストとして活躍しているチームラボの猪子寿之《いのことしゆき》さんも微分値が大きな例ですね。彼は東大時代は僕の計数工学科に所属していましたが、学校にはあまり来ていなくて、成績もよくなかった。でも、それは自分の好きなこと以外には興味がなかっただけなんですよね。

出口 おもしろいですね。そうなると、教職員にも視野の広さと懐の深さが求められます。目の前の学生が、一見ヘンなことを話していても、「10年後に化けるかもしれないぞ」と思えるかどうかが問われます。

僕がよく話しているのは、いっそのこと高校は、「偏差値コース」と「変人コース」の2つに分けたらいい、ということです。「変人コース」が言い過ぎならば、「個性派コース」でもかまいませんが、これは好きなことを徹底的にやるコースで、ゲーム好きだったらゲームだけ、読書が好きなら本を読むことだけをやって、好きなことを徹底的に伸ばすコースです。

実はすでに僕は、「偏差値に興味がある子どもは東大に任せます。個性派コースはみんなAPUが引き受けます」と宣言しています（笑）。もちろん、実際には東大でも猪子さんのようなマインドを持っている人は少なくないと思いますが。

生田 いいですね。偏差値だけを追い求めたい人は、人材スクールとしての旧帝国大学に行っていただき、イノベーションは尖った人たちで進めていく——。それが実現したら、日本も変わるかもしれません。

学びのスペシャリスト対談――4

人を育てる覚悟

中国には「教育にお金をかけ、
優秀な人材を育てていく」というグランドデザインがある。
対して日本はいまだに戦後の製造業の
「工場モデル」を引きずり
個性ある人間を育てられないでいる。
それを打破するキーワードが「混ぜる」だ。

加藤積一 Sekiichi Kato

1957年東京生まれ。1979年法政大学社会学部社会学科卒業。商社勤務、会社経営などを経て、1991年ふじようちえんに入社。2000年に園長、2011年に学校法人みんなのひろば理事長に就任。

他に複数の保育園を経営。デザインの力を教育の場に導入し、教育の在り方、子どもの育つ環境づくりに大きな影響を与えている。OECD・世界学校施設最優秀賞を受賞。著書に『ふじようちえんのひみつ』(小学館)がある。

「園舎に壁がないのはなぜですか?」

出口治明──Haruaki Deguchi

「雑音の中で過ごすことこそが大事だと思ったのです」

加藤積一──Sekiichi Kato

出口治明　加藤さんが園長を務めておられる「ふじようちえん」のウェブサイトを拝見しましたが、まず園舎のかたちが目を引きますね。普通の幼稚園なら四角形の部屋が並んでいるのですが、ふじようちえんは楕円形で、およそ幼稚園や学校のイメージからはほど遠い……。

加藤積一　園舎は中庭を中心にした楕円形で、屋根の上はウッドデッキになっており、自由にのぼれるようになっています。子どもには「走り回りたい」という本能があると思うのですが、いくら屋根の上を走れるようにしても、スペースが四角やコの字だったら、いずれ行き止まりになってしまいますね。だけど楕円形ならいつまでもグルグル走り回ることができます。たとえば、追いかけっこも永遠に続くんです。

出口　ビデオを拝見したのですが、子どもたちが裸足で走り回っているのですね。ある本で読みましたが、二足歩行の人間にとって、重力はとても大事な情報であり、足の裏で地面を踏むことで、その存在を認識していくそうです。言い換えれば、歩きはじめた頃に裸足で大地を踏みしめているかどうかで成長も変わっていく。

踏みしめる地面はコンクリートでも畳でもいいのかもしれませんが、直観的には、幼い頃に裸足で土や草を踏んで、足の裏から直に大地の情報を得ることは脳の発達にもいいのだろうなと思いますね。

もう一つ、園舎の中に壁がないという点に興味を引かれました。

加藤　私たちには、静かな環境でこそ集中力が培われるという思い込みがありますが、日常生活は図書館のような静かな場所ばかりではありません。むしろ雑音のなかで集中力を発揮しなくてはいけないことのほうが多いはずです。
日常で発揮できる集中力を培うには、園舎の中も日常と同じように雑音があったほうがいい。そこで壁をつくらず、ピアノの音と歌声がする部屋の隣では、先生が絵本を読み聞かせているという環境にしました。これらはほんの一例ですが、全体にわたって、建物は子どもが育つための道具になっているんです。

出口　それはすばらしいですね。子どもの頃からこういうお仕事をされたかったのですか。

加藤　幼稚園自体は、立川市から相談を受けて、１９７１年に父が開園したものです。私は最初、跡を継ぐつもりはあまりなく、別の仕事をしていたのですが……。

出口　そんななかで、お父さまが「モンテッソーリ教育」を導入されたとか。

加藤　モンテッソーリ教育をひと言でいうと、子どもたち一人ひとりの中にある、自ら育とうとする力を、十分に発揮させてあげる教育です。「教育」というと、大人が何か教え込むイメージを持たれるかもしれませんが、そうではありません。子どもたちは生まれながらにして、さまざまなことを自分で吸収する力を持っている。大人はそのお手伝いをすればいい。
たとえばモンテッソーリ教育にはさまざまな教具・用具があります。それぞれに子どもたちが夢中になるような工夫がありますが、何を選ぶのかは本人の判断。大人は使い方を提示するだけです。

トイレのスリッパも、先生が「ちゃんと揃えなさい」と指導することはありません。トイレの入口にはスリッパと同じ形をしたシールが貼ってあるのですが、とくに何もいわなくても、「自ら育つ力」の中にある秩序感の芽生えによって、子どもたちは足枠があるとピタッと合わせるようになります。傍《はた》からは、「スリッパは足枠に揃える」というルールに従っているだけのように見えるかもしれませんが、そうではありません。他人から強制されたルールではなく、自ら考えてスリッパを足枠にぴったり合わせることで、子どもたちは満足感、達成感を味わっているのです。

こうしたモンテッソーリ教育について、父がアメリカに留学していた小学校の先生から聞き、「これだ！」と思ったそうです。私にもよく「学校の点数より、勝負は社会に出てからだ」といっていたので、もともとの教育哲学に合うところがあったんでしょうね。もっとも、園で実践したのは、理事長だった父ではなく、小学校で校長を務めた経験を持つ当時の園長先生ですが。

出口　お父さまが「学校の点数より、勝負は社会に出てからだ」とおっしゃったのは、最近よくいわれる「非認知能力」の重要さに通じるところがありますね。その点では、先見の明をお持ちだった。

※モンテッソーリ教育――イタリア人の医師、マリア・モンテッソーリによって20世紀初頭に考案された教育法。子どもの自主性、独立心、知的好奇心などを育み、社会に貢献する人物となることを目的とする。教具を使った感覚教育や自由な環境の提供が特徴。オバマ元大統領やビル・ゲイツ、アマゾンの創設者ジェフ・ベゾス、将棋の藤井聡太8段らもモンテッソーリ教育の経験者だといわれる。

加藤　父は映画『男はつらいよ』の寅さんが好きで、「あの強さ、自分の意思の通し方、そして臨機応変さが、社会に出てから役に立つんだ」といっていました。たしかにそれは、テストの点数とは関係のない「非認知能力」かもしれません。

出口　その後、加藤さんもモンテッソーリ教育を勉強されて、やがて経営を任されるようになったわけですね。引き継いだあとで変えられたところはありますか？

加藤　子どもたちに教えるのではなく、子どもたちが自ら考えることが大事だという考えは、さらに深くなったのではないでしょうか。仲間の先生たちにも「ここは子どもが育つ場所で、先生たちが仕事をする場所ではない。ただ子どもたちを見て、遠くで『うん』とうなずいてあげるだけで、子どもたちは自信がつくんだよ」と繰り返し言っています。

出口　いやあ、すごい。いま教育の最前線では、詰め込み式教育への反省もあって、「本人にやる気がなければ、何を教えても忘れてしまう」「自己肯定感が大事だ」などといわれています。そこでAPUでも、「教員は何かすごいことを教える人ではなく、学生の学びをバックアップする人」という位置づけで運営していますが、加藤さんはそれを20年前からやられていたわけですね。

加藤　もともと父の代から骨格はありましたが、私の代で何かしたといえば、やはり園舎でしょうか。もともと、私は「学びをデザインしたい」と思っていました。園舎を新しくすることになり、どういう建物にしようかとブレーンストーミングする過程で、私は「子どもには走り回れる環境がいい」「雑音があるほうがかえって集中力が磨かれる」など〝子どもの育ち方〟についての話をたくさんしていました。

すると、アートディレクターの佐藤可士和さんが、「では、〝子どもが育つ状況〟をデザインしましょう」といってくださり、建築家の手塚貴晴・由比さん夫妻が、それを具現化してくれたのです。「学びをデザインしたい」という思いが、「状況をデザインする」というコンセプトになり、建築としてのデザインに結実したわけです。

出口 実はグーグルやアップル、さらにその予備軍と目されるユニコーンなどの新興企業は、一見、奇妙なオフィスを持っているところが多いのです。ものすごくカラフルだったり、ユニークなデザインだったり。ところが日本の経営者たちは、斬新なオフィスを見ると、「やっぱり若者がつくる会社はどこか変だ」などとピント外れな感想を漏らします。あれを「変だ」と評するのは不勉強を公言しているようなもので、実際には脳科学や心理学を勉強して、人間はどういう環境に置けばやる気が出るのか、ということを計算し尽くしたうえでやっているのに、それがわからないのです。

最近、ビジネスの分野では「デザイン経営」が注目されています。経営者がやりたいことやビジョンを明らかにして、アーティストがそれをデザインして形にしていく。加藤さんがやられたのは、まさにデザイン経営ですね。

「転んだりケガをしたりする経験をしないと、生きる力がつかない」

加藤積一——Sekiichi Kato

「動物や虫を捕まえる感覚を忘れてしまうのは、種の危機です」

出口治明——Haruaki Deguchi

出口 僕は日本生命に在職していたとき、ロンドンにあった現地法人の社長として3年間赴任していました。当時はまだバブル崩壊直後で、ロンドンの日系社会では、明治時代から現地に進出していた4つの大企業が幅を利かせており、その支店長が持ち回りで日本人会の会長をやっていました。赴任して会長のところに挨拶にいくと、「ではあなたには教育担当理事をやってもらいましょう」といわれました。初耳だったのですが、それが日系社会のルールだというので、引き受けました。

「教育担当理事」は現地の日本人学校を管理することなどが主な役割ですが、実際には校長先生がきちんと運営されているから僕の出る幕はありません。それでも一応は勉強せなあかんと思って、現地の幼稚園と小学校をいくつか回りました。

実はそのとき聞いた話がいまでも心に残っているのです。それは次のような内容でした。幼稚園では最初に、2人がペアになって向き合い、お互いの顔を確認します。順にペアをかえていき、全員が確認し終わったところで、同じ顔の人がいたかどうかを園児たちに聞きます。もちろん、みんな「違う」と答えますね。そして次に、「顔かたちは違うけれど、考えていることや感じていることはどうか」と聞きます。するとほとんどの子どもは、「顔かたちが違うのだから、一人ひとり考え方も違う」と答えます。そのようにして、「人間は一人ひとり違う」ということを全員に気づかせるのだそうです。

一人ひとりが違うという認識ができたら、次は2つのことを教えます。一つは、「自分の思っていることは相手にいわなければ伝わらない」ということ。みんな違うのだから、自分の気持ちは以心伝心では伝わらない。わかってほしければ、はっきりと言葉で意思表示しましょうというわけです。

もう一つは「Queue（列）」、つまり「並ぶこと」です。たとえば切符を買うとき、思い思いに窓口に殺到したら、収拾がつきません。一人ひとりが違うからこそ、並んで順番に買わなくてはいけないよということを教えるのです。

その幼稚園の先生は、初年度の教育はその2つさえ腹落ちしてもらえれば十分だといっていました。

加藤　つまり、前提として多様性があるということを教えて、そのあとコミュニケーションの重要性と、社会にはルールがあることを理解させると。

出口　そうです。そしてその後は、「知識はあとからいくらでも詰め込めるから、身体を鍛える」という。英国（UK）の幼児教育は、これでおしまいだというので僕は感心した記憶があるのですが、加藤さんはどう思われますか？

加藤　とくに最初の多様性は大事ですよね。日本の教育を省みると、どうしても「みんな同じ」がいいことだと教えてしまう。でも、それはどうなのかなと思います。

ふじようちえんの園児は園のTシャツを着ていますが、長袖と半袖、それぞれ8色ずつあって、自分の好きなものを着ていい。冬に半袖を着る子がいても、私たちは止めません。風邪を引いたら本人の責任です。

ごはんも園で出す給食か、自宅から持ってくるお弁当かを選べます。たとえば給食にゼリーがついて、お弁当の子が「欲しい」と泣くことがあります。でも、自分で選んだ結果だから当然だし、それが平等ということだと私たちは考えています。

ところが一般的には「かわいそうじゃないか」と情緒的な話になって、「一人ひとり違いが出ないように全員給食」という方向に行ってしまう。いまUKの話を聞いて、やはり日本の平等の感覚はおかしいなと思いました。

親たちも非常に敏感で、自分の子どもと他の子どもに少し違うところがあると、「うちの子は大丈夫でしょうか」と不安がります。たとえば、「Aちゃんはもう××ができるのに、うちの子はできない」と嘆くのです。

「この子はまだ時機が来ていないだけです。自分のペースで成長しているのだから、全然問題ないですよ」とアドバイスするのですが、なかなかわかってもらえなくて……。

この国民性はなんですかね。みんなの同意を必要とする、農耕文化の名残りでしょうか。

出口 いや、農耕文化というより、戦後の製造業の「工場モデル」の影響でしょう。製造業の工場現場では、僕は「5要素」と呼んでいるのですが、「素直で、我慢強くて、偏差値が平均的に高くて、協調性があって、上の人のいうことをよく聞く人材」が役に立ちます。それで戦後に成功したものだから、社会や学校はそういう子どもたちを育てようとする。

逆にいうと、そこでは個性が突出すると嫌われますから、日本からユニコーンが生まれないのも当然です。

加藤　大人になってから個性を発揮しようとしても、簡単ではないですからね。

出口　日本は第2次世界大戦に敗れて経済も社会もガタガタになってしまいました。だから国としての十分な社会保障を行う余裕もなく、その役割を企業に担わせてきたのです。制服、社員食堂、社宅といった衣食住から、冠婚葬祭やレクリエーションまですべて企業が面倒を見るわけですから、いってみれば人民公社ですよ。

その環境に過剰適応して、ひたすら協調性重視でやってきたので、そこから抜け出るのが難しい。変えていくとすれば、やはり教育からです。とくに幼い頃の教育は投資効果が大きいですから、加藤さんがやっておられることは本当に意義があると思います。

加藤　先ほど、UKでは知識を詰め込むより体を鍛えるという話がありましたが、それに関連していうと、いまの子どもは「実体験」が足りないと思っているのです。高度成長期以前の日本は、「学問のすゝめ」で知識をつけさせることを重視していましたね。それに対して、いま必要なのは「実体験のすゝめ」、さらには「危機感のすゝめ」だと思うのです。

ＩＴの普及と高度化によって、実体験しなくてもYouTubeやＶＲ（バーチャル・リアリティ）などで、さまざまなことを疑似体験できるようになりました。ところが、それはあくまで〝疑似〟でしかありません。安全性が確保されて、不快さや恐怖といった負の感情を味わうことなく成長していくと、危機感が育たなくなる。危機感を持たないと動物は死んでいるも同然です。だから、いまは身体を使ってどんどん実体験をしたほうがいいと思います。

出口 おっしゃるとおりです。僕は田舎育ちなので、オフィスの前の木にセミがいたら、自然に手が伸びてつかんでしまう。僕のスマホにはセミの写真がたくさん保存されているんですよ。ライフネット生命時代も同じようにセミを手づかみしていたら、若い女性社員が「キャー、よくそんなものつかめますね」と驚いていました。でも、僕からすると、「何をいってるんや、虫がいたら捕まえるに決まってるやろ」と。

人間はまだ20万年しか生きていない動物で、定住しはじめたのはわずか1万年前からです。その前の19万年はホモ・モビリタス（移動するヒト）で、世界中を放浪しながら動物や植物、そして虫を捕まえて食べていました。その感覚を忘れてキャーと騒いでいるほうが、種としては危険じゃないかと思います。

加藤 子どもが転びそうになったら、普通は親が助けて転ばないようにし、「危なかったね。気をつけてね」と諭すのが普通ですね。でも、それでは子どもは何も学びません。同じことを何度も繰り返し、そのたびに親が助けることになるのです。

これに対して、ふじようちえんの園庭は、あえて起伏をつくっています。そこで走って転んでしまった子は、「次からは気をつけよう」と学習します。園庭は芝生に覆われているので、転んでも膝をすりむくくらいで済みます。

また、園の水道には流し台がなく、水が直に地面に落ちる設計になっています。強く出しすぎたり、出しっぱなしにしたりすると、はねて自分の足が濡れるので、子どもは自然に量の調節や、蛇口を閉めることなどを覚えます。そういう体験から得た知恵が、生きる力につながっていくと思うのです。不便による利益、「不便益」こそ、いま大事なことですね。

出口　もともと人間は理論から物事を学んだのではなくて、長い経験の末にいろんなことを学んでいった。それをあとからサイエンスで一つひとつ裏付けていったということだと思います。その意味では、幼児教育で経験を重視するのは理にかなっていますね。

これは何かの本で読んだのですが、人間の好奇心や向学心のピークは18～19歳だそうです。それまでに「学ぶことは楽しい」「知ることはおもしろい」という癖がつけば、自転車の乗り方を一生忘れないのと同じで、「おもしろい」という記憶が一生残って学び続けます。

社会人になっても学び続ける人は、上司からかわいがられるので出世しやすく、生涯給与も普通の人よりずっと高くなります。

三段論法でいうと、高校生か大学生の初期のころまでに、「知らないことを学ぶのは楽しい」「わからないことが腹落ちすると気持ちがいい」という感覚を身につけた人は、一生楽勝だという話になる。幼児教育にとどまらず、やはり若いうちに「腹落ちする体験」を積むことが大事ですね。

「幼児教育こそが基礎をつくると思っています」

加藤積一――Sekiichi Kato

「日本の場合、そこにグランドデザインがないことが問題ですね」

出口治明――Haruaki Deguchi

加藤　私はよく中国に招かれて、ふじようちえんの取り組みについてお話ししています。これまで50都市ほど行きました。みなさん、うちの園舎に興味があるのだろうと思っていたのですが、それは少数派で、「理念について聞きたい」という方が多かったことに驚きました。

中国では、ある程度決められた枠の中で教育をやらないといけません。日本も同じですが、ふじようちえんの教育環境が自由に見えるから興味があるのでしょう。裏を返すと、中国は、国としてのグランドデザインが浸透しているということかもしれませんが。

出口　中国のグランドデザインは始皇帝の時代にもう出来上がっていたと思います。中国の骨格はエリートによる中央集権支配です。始皇帝の時代に法家が発達し、法律をベースに文書行政で全土を掌握する体制ができて、それがいまも続いているのです。

いまの共産党の幹部をみると、若い人はほとんどアメリカの一流大学を出ています。ただ、エリートによる中央集権があからさまだと、民衆は納得しません。そこでかつては建前として儒教を使い、「目上の者に孝行しろ」とか「勉強した人が偉い」などといっていました。いまその建前が共産主義にかわりましたが、本質はずっと同じだと思います。

加藤　なるほど。昔、中国では「親族がひとりでも科挙に通れば、一族が安泰だ」といわれていましたね。実はいまも、子どもがいい小学校に受かるかどうかで、その子や家族の一生が決まってしまうそうです。

だから、中国ではいい幼稚園の誘致合戦がすごいんです。ディベロッパーが定評のある幼稚園を口説き落として、それを中心に街づくりをすると、子どもをいい小学校に入れたい人たちが集まってくる。私もよく「ふじようちえんを中国につくってくれ」といわれます。教育はその国の歴史の延長線上でやったほうがいいと考えているので、私は進出するつもりはないのですが、同じ漢字圏ということもあり、乞われれば友人としてアドバイスだけはしています。

出口　中国は今後もエリートの養成にお金を注ぎ込み続けるでしょうね。最近、コロナ禍をきっかけに、米中の摩擦が激しくなっていますが、彼らは20年以上前から、いずれはアメリカと衝突することを予想していました。たとえばＩＭＦが公表したＧＤＰを見ると、名目ではまだアメリカがトップで2位の中国とは大きな差があるように見えますが、各国の物価の差を考慮した購買力平価ＧＤＰでは、２０１４年以降は中国が世界一になっています。つまり、世界は米中の一騎打ちの様相を呈してきているのです。

アメリカはナンバー2が肉薄してきたら叩く国です。米中の貿易摩擦やＩＴ摩擦、軍事摩擦も、そういう文脈で捉えるとわかりやすいでしょう。

20年ほど前に、ある中国の官僚が次のようなことをいっていました。

「あと20年もすればＧＤＰがアメリカにほぼ並ぶ。だからアメリカは必ず中国を叩きにくる。すると、もうノウハウなどを教えてもらうことはできなくなるだろうから、いまから教育にひたすらお金をつぎこんで、自分たちで優秀な人間を育てていかなければ、中国はやっていけない。だから腹を決めて、エリート教育に力を入れていく」

つまり、そういうグランドデザインが描けているわけです。

加藤 実はアリババの創業者であるジャック・マーがつくった幼稚園の園長と交流があり、杭州にあるその幼稚園を視察したことがあります。さぞかしIT化が進んでいるのかと思いきや、先ほど紹介したふじようちえんの水道と同じようなものもあり、意外にアナログでした。ただ単にIT化を進めるのではなく、子どもたちのために考え尽くされている印象でしたね。アメリカ人の先生もたくさんいて、相当お金をかけていると思います。

出口 いい先生を呼ぼうと思えば、やはりお金がかかります。中国はそれがわかっているから、お金をどんどんつぎ込みます。その点、日本は遅れていますね。横並び意識が強すぎて、大事な分野を選んで、集中的に強化するようなことが上手ではありません。ここにもグランドデザイン力の差が出ている気がします。

加藤 それに関していうと、私は幼児教育こそ国をつくる力があると思っています。たとえば折り紙を例に取りましょう。当園の外国人の先生に折ってもらうと、角と角が微妙にずれていることが多いのですが、それでも彼らは「ぴったりだ」というんです。このへんが日本の幼児教育との違いで、日本人は小さいうちから角をきちんと合わせることを教わるので、ズレているのはどうも気持ち悪いと感じます。

その感覚を大人になっても発揮して、たとえばものづくりや建築、さらには街づくりにも活かされてできているのが、この日本社会だと思います。つまり、幼児教育こそ、国をつくる力があるのです。

出口 なるほど。折り目正しく、ディテールにこだわるのは、たしかに現在の日本社会の特徴の一つかもしれません。それがもの作りに活かされている面もあるとは思います。ただ僕は、ディテールへのこだわりは、グランドデザインがあってこそ意味をなすと思うのです。

たとえば建物をつくるとき、ドアノブのデザインや窓のかたちがいくら素晴らしくても、建物自体が使いづらければ意味はないでしょう。「神は細部に宿る」という言葉がありますが、グランドデザインがしっかりしていて、さらに細部にまで気を配ってつくれば、すばらしいものができるという意味だと思うのです。

日本の家は一戸一戸はすばらしいクオリティだとは思いますが、一般的に街並みを見ると美しくはありません。その点が、一つひとつの建物は粗いものの、街並みはすばらしいヨーロッパとは対照的です。

ロンドンのシティには、セントポール寺院が見えなくなるような建物を建ててはいけないという慣習がありました。セントポール寺院はシティの住民の共通財産だという常識が共有されているので、法で規制しなくても自然にそうなっているのです。だから町全体として見るときれいなのですが、この慣習のせいで建て替えができず、リフォームを重ねるので、窓枠に隙間がある建物も多いのです（笑）。

加藤 折り紙をきっちりつくる能力を継承していくのか、全体を美しくデザインする能力を新たに養っていくのか――。日本はどちらを目指せばいいんでしょう？

出口　どちらかに偏らず、いろいろな人や考え方をまぜこぜにするという選択肢もありますね。APUでは、それを意識しています。

たとえば「マルチカルチュラル・ウィーク」という、ある国や地域の文化などを1週間かけて紹介する学生主催のイベントがあります。インドネシアウィークなら、学食のメニューをも含めて、APU全体をインドネシア一色に染め上げるのです。ただし、実行委員会のメンバーは、半数以上がインドネシア人ではなく、他の国や地域出身の学生で構成しなければならないというルールを設けています。インドネシア人がインドネシアウィークを企画するなら、単なるお国自慢になってしまう。半数以上が他の国の人であるというルールを定めることで、インドネシア人と日本人、外国人が混ざり合い、インドネシアの文化や伝統をともに学んでいくことができるのです。

混ぜることでいろいろな化学反応が起き、新しいプロジェクトや事業などのアイデアが生まれるのです。

加藤　いいですね。私も混ぜるのは大好きです。いずれは「ふじようちえん付属小学校」をつくって、幼稚園と小学校を混ぜてみようかと企んでいるんですよ。

出口　それはすばらしい！

世界はいま、1年生、2年生というように、学年で分けるのではない方向に進んでいます。

年齢が同じでも習熟速度には差があります。だから学年に関係なく習熟度別にしたほうが、早い子はどんどん伸びていくし、ゆっくりな子も置いていかれずにマイペースで学べる。

それなのに、学年別というシステムが厳然としているのは、日本ではいまだに、年功序列的な製造業の工場モデルが幅を利かせているからでしょうね。学年別のシステムを変えるのは、法律も関係してくるので大変です。だったら、統一試験を「高等学校卒業資格認定試験」(高認。旧大学入学資格検定)と一本化してしまえばいい。

いま中高一貫校では、6年間分のカリキュラムを高1までに終えて、残り2年間は受験のテクニックを教えていますが、こんなムダなことはありません。できる子は高1で統一試験を受けて大学に直ぐに行けばいいと思います。アメリカや中国では普通に飛び級が行われているのに、日本でできないのは、やはりグランドデザイン能力の低さのせいだと思います。

加藤　なるほど。その一方で、日本は徐々に多様性の時代を迎えており、さまざまなコト、モノ、情報が融合する社会になってきています。だからこそ、従来では考えられなかったおもしろいもの、美しいもの、そして世界的に理解を得られるものがどんどん出てくる可能性もあると、私は思いたいですね。

もちろん、私もいろいろなものを混ぜ合わせて、ふじようちえん付属小学校という新たな切り口での教育体系を実現し、幼児教育の力を伝えていきたいと思っています。

出口　それは楽しみですね。ぜひがんばってください。

第3章——Chapter 3

「変人」のすすめ

言葉と思考

「人間は考える葦《あし》である」という言葉があります。17世紀の哲学者であり、物理学者、数学者でもあったパスカルの言葉です。彼の思考をまとめた遺稿集『パンセ』の中で、パスカルは次のように述べています。

「人間はひとくきの葦にすぎない。自然のなかで最も弱いものである。だが、それは考える葦である。……われわれの尊厳のすべては、考えることのなかにある。……空間によっては、宇宙は私をつつみ、一つの点のようにのみこむ。考えることによって、私が宇宙をつつむ」

人間はきわめて弱い存在だけれども、考えることができる。考えることは尊く、宇宙すら包み込むことができる——といった意味でしょう。

また、何かを考えても、その結果を他人に伝えなければ、考えた意味がありません。悟りを開くためにひとり瞑想を続ける修行僧ならいざ知らず、普通の人なら「伝えたい」という思いがわいてくるものです。考えるためにも、伝えるためにも、必要なのは言葉ですね。人間は言葉を介して初めて何かを考えることができる、つまり言語は思考のツールとして誕生したのです。言葉は思考の武器であり、伝達の手段でもある大事なツールなのです。

その言葉の乱れを憂う、新聞や雑誌の記事をよく目にします。正しい言葉や言い回しを説明する書籍もたくさん出版されており、まるで日本人が常識をなくしてしまったかのような騒ぎです。

たとえば「雨模様」という言葉。テレビのお天気キャスターが「今日はあいにくの雨模様です」といったりして、「雨が降ったりやんだりしている様子」という意味で使われるのが一般化していますが、本来は「雨の降りそうな空の様子」(広辞苑)です。しかし、文化庁の調査によると前者の意味で理解している人のほうが多く、広辞苑以外の辞書では「雨が降っているらしい様子」(デジタル大辞泉)という意味を許容しているケースもあります。

これは、言葉の意味が変わりつつある(一種のクレオール現象)、ちょうど過渡期にあると見ていいでしょう。こうした例は、「確信犯」「役不足」「失笑する」などほかにもたくさんあり(本来の意味は広辞苑などで調べてください)、それは止めようがない時代の流れだと思います。

ちなみに、みなさんは「新しい」という言葉を知っていますね。これは、もともとは誤用から生まれた言葉だといわれています。「新」という字の訓読みは「あらた」ですが、平安の時代に「た」と「ら」が入れ替わって「あたら(し)」になったそうです。でも、いまや『あたらしい』という言葉は間違っている。『あらたしい』に改めるべきだ」という人などどこにもいないでしょう。

「ヤバい」「半端ない」「よろしかったですか」……本則といわれる使い方から外れた言い回し

が流行ることがよくありますが、目くじらを立てる必要はありません。「歌は世につれ、世は歌につれ」といいますが、言葉もどんどん変わっていっていいと思います。

それよりも僕が気になるのは、言葉の使い方です。といっても、言葉遣いが悪い、というようなことではありません。言葉の定義をせずに、いいかげんに使われるケースが目立つのです。たとえば、企業の中堅クラスが集まる勉強会などで、「日本人のいいところは、やはり真面目で一所懸命に仕事をするところですよね？」などと聞かれることが少なくないのですが、そのたびにがっかりしてしまいます。「日本人は勤勉である」という根も葉もない話を、なんの疑いもなく信じ込み、それを前提にしてものを語ったりしているからです。

歴史を振り返ってみると、たとえば室町時代の日本人にはまじめなカタブツよりも、遊び人のほうが圧倒的に多かったようです。みな賭け事が大好きで、お茶の銘柄や連歌なども賭けの対象でした。誰かが「このお茶の種類を当ててみ」といえば、みんなが「これは煎茶や」「いや、緑茶や」などと答える。間違えたら、「はい、1万円払うんやで」という具合にゲームを楽しんでいました。それがやがて茶道につながっていきます。

五七五で歌を作っていく連歌は、参加する人からお金を徴収し、歌の出来がよかった人は賞金をもらうことができました。江戸時代には連歌から俳句が生まれますが、もともとは知的な遊びというより、賭け事そのものだったのです。

7世紀の持統天皇が双六禁止令を出したことからもわかるように、昔から賭け事は禁止されていたので、おおっぴらにやるわけにはいきません。それでも人々は官吏の目をかいくぐって楽しんでいたのです。

このように、昔の日本人は享楽的な性格を強く持っていて、かなりいいかげんなところがありました。もちろん真面目でストイックな人もいたでしょうが、みんながみんなではありません。それは、「日本人は手先が器用で細かい仕事に適している」という〝幻想〟にも通じるところです。

人間は言葉で考える生き物であり、言葉は思考の手段です。その言葉をきちんと使いこなすことができれば、物事を考えるための強い武器になるでしょう。逆にいうと、言葉をいいかげんに使っていれば、物事を深く考えることはできません。

言葉を使いこなすには、まずその言葉の定義を明確にし、次にエビデンスをベースにして組み立てたロジックが適切かどうかを検証しなければなりません。勉強について話すのなら、まず勉強とは何かという定義をして、勉強の何について話すのか——勉強の方法か、勉強に関する一般論か、勉強について論理的に考えるとどういう結論が導き出せるのか、などということを伝える必要があります。

僕のところには、雑誌の記者や編集者などいろいろな人が訪ねてきますが、そういういわば〝言葉のプロ〟でも、こうした整理がついていない人が散見されます。たとえば、僕が本や旅が好きだというと、「いちばん好きな本はなんですか？」「おすすめの国はどこですか？」などと、ぼやっとした、答えようのない質問を投げかけてくる人たちです。「日本の中世史を知るために適した本」「恋人と2人で行くのに最適な場所」などともう少し定義をはっきりさせてもらえると答えようがあるのですが……。

いずれにしても、言葉をぞんざいに扱わず、常に定義を明確にして、エビデンスに立脚し、ロジックを意識して話すことは、勉強の第一歩だと思います。

日本人は奇術師だった!?

相も変わらずいろいろなメディアで、「日本のここがすばらしい」「だから日本は世界から賞賛されるのだ」などという言説が垂れ流されています。こういう物言いがなくならないのは、日本人がゆがんだ劣等感を抱いている証拠だと思いますが、その分析は後回しにしましょう。

ここで取り上げたいのは、「日本は外国文化を取り込み、咀嚼して発展につなげた」という話です。日本人は手先が器用なので、勉強してさまざまな物事をオリジナルよりはるかにすばらしいものに作り替えてしまった。中国の漢字からひらがなやカタカナを生みだしたことや、キリスト教徒が祝うクリスマスを独自のイベントにしてしまったのもその一例だ——とよくいわれます。しかし、本当にそうでしょうか。

社会心理学者の小坂井敏晶さんは、その著書『社会心理学講義』（筑摩書房）の中で、これを明快に否定されています。「日本の西洋化の背後に見るべきは、新しい物好きで好奇心旺盛な模倣者ではなく、荒々しい野生の外部を馴致された〈外部〉とすり替えて内部化する奇術師の姿でしょう」――。つまり、日本は外国の文化をマネして取り込んだのではなく、「いや、これは最初から私が考えていたものですよ」などと、都合のいいように誤魔化して使っているだけだというのです。

実際には、他国の文化を咀嚼して発展につなげた部分も少なからずあるでしょう。でも、少なくとも中国との関係でいえば、日本は中国の文化を咀嚼するというより、ただあこがれていて、長くその影響下に置かれていました。「人類の四大発明」といわれる紙・印刷術・火薬・羅針盤が中国で発明されたことに象徴されるように、世界の文化の多くが中国で始まったといっても過言ではないくらい、日本と中国のあいだには圧倒的な差があったのです。

たとえば、京都のお寺を思い出してみてください。国宝や重要文化財に指定されている襖絵がたくさんありますが、そこに富士山や宮島など日本の名所旧跡が描かれているのを見たことはありますか？　ないですよね。ほとんどすべてが中国の名所旧跡を描いた水墨画です。当時の人々が、いかに中国に魅せられていたかということがよくわかります。

また、中国で始まった「元号」はもはや絶滅危惧種であり、日本にしか残っていません。台湾は中華民国が成立した年に始まる「民国紀元」を、またイスラム教の国々では「イスラム暦」

を使っていたりしますが、国家元首（天皇は元首ではなく象徴ですが）が変わるごとに暦が新しくなるような国は日本だけです。

それをもって「元号は日本の伝統だ」とか、「日本が独立している証だ」などと主張している人を見ると、どうしても違和感を覚えてしまいます。現在使っている一世一元の元号は、中国の明の初代皇帝だった朱元璋（洪武帝）が始めたものを、明治政府が借り入れたのであり、少なくとも日本の伝統ではありません。

仏教学者の鈴木大拙が『日本的霊性』（角川学芸出版）の中で、「日本人のベースは禅と浄土教の中にある」という趣旨のことを書いていますが、これはどちらも宋の時代に日本に入ってきたものです。そう考えると、日本の文化というのは、ほとんど中国のモノマネだといえるでしょう。

でもそれは卑下すべきことではありません。水が高いところから低いところに流れるように、高みにあるものは世界中に伝播します。日本や韓国が中国の影響下にあったように、ヨーロッパはみなギリシャやローマに憧れて模倣していました。ただ、その当たり前のことを、「日本は他国の文化を咀嚼して……」というひねくれたかたちで自慢するのは、劣等感の裏返しではないかと思うのです。

もちろん日本にも歴史はあります。ただ、中国のお茶や絹織物、陶磁器のように、世界中の人々が欲しがる「世界商品」は日本にはありませんでした。だから、他の国に征服されるようなことがなかったのです。

唯一の例外といえるのはモンゴル戦争（俗にいう「元寇」。1274年、1281年）でしょう。実は当時、大元ウルスでは鉄炮（火薬）が普及しはじめていました。火薬をつくるには硫黄が必要です。ところが中国にはあまり火山がないので、目を付けたのが阿蘇山などがある日本だったのです。

その後、16～17世紀頃にはスペイン人やポルトガル人（いわゆる南蛮人）が日本にやってきて貿易を行いますが、これは当時世界一の産出量（世界の4分の1～3分の1）を誇った銀が目的です。銀が掘り尽くされた頃、日本は鎖国を始めます。ちなみに、あのまま佐渡や石見《いわみ》で金銀がどんどん産出されていたら、とても鎖国などできなかったでしょう。世界の国々が放っておいてはくれなかったでしょうから。

ちょっと話がそれてしまいましたが、「日本はダメだ……」とあきらめてしまうのも危険ですが、「日本はだからすばらしい」と必要以上に大きく見せようとするのも同じくらい危ういことだと思います。一時的なエモーションに振り回されるのではなく、やはり数字・ファクト・ロジックで、日本の真の姿を冷静に判断していく姿勢が、いつの時代にも必要だと思います。

ちなみに、僕はありのままの日本が大好きです。

人生というプロジェクト

日本には国公立、私立を合わせて約８００の大学があります。その中で、ＡＰＵが東大や早稲田に負けないところは何かといえば、すでに何度も紹介しているとおり、圧倒的な国際性、ダイバーシティです。

では、ダイバーシティは何を生むのでしょうか。化学変化です。いろいろな背景を持つ人が集まることでケミストリーが生じ、ケミストリーからイノベーションが生まれる――。これは歴史上も明らかで、たとえばダレイオス大王やアレクサンドロス大王がギリシャ、ペルシャ、エジプト、インダス川流域までを支配下に置いたことで新しい文化が花開いています。

そう考えると、日本でいちばんダイバーシティにあふれたＡＰＵが、起業家や社会起業家を輩出するのは当然だし使命でもあると思い、２０１８年7月に「出口塾」（正式名称はＡＰＵ起業部）を創設しました。活動期間は1期1年で、第1期の塾生は32組46名、第2期は30組43名が参加しています。初年度の目標はビジネスを5つ立ち上げることでしたが、内心ではゼロでもいいと腹をくくっていました。起業の困難さはいやというほど味わっていたからです。ところが、1年後には目標を上回る6件の立ち上げに成功しました。すべて会社をつくって営業を始めています。

内容も素晴らしく、たとえばバングラデシュ出身の学生は、現地で悪臭や水質汚染の元になっている廃棄された牛皮を使って、財布などをつくることを考えました。製品は実際にAPUの生協で販売されているのですが、それだけではなく、バングラデシュの女性の社会進出を支援するため製造工場には現地の女性を雇用したり、売り上げで子どもたちに本をプレゼントして識字率の向上に努めるとしているのです。

とはいえ、学生ベンチャーをAPUで独り占めしようという気持ちはさらさらありません。すでにお話ししたとおり、世界に400匹前後いるユニコーンが、わずか3社しか存在しない日本は、ベンチャー企業をどんどんつくっていかなければならないからです。僕は、それまで勤めていた大企業を退職して、還暦でベンチャー企業を開業しました。その経験を通じて学んだことを、出口塾やこの本を通じて、皆さんにフィードバックできればと思っています。

さて、起業や社会起業にチャレンジしようとするとき、まず何が必要なのでしょうか。細かいことをいいだすとキリがありませんが、僕が大事だと思っているのは、「志」と「算数」のふたつです。

「志」は、その事業を通じて「何をやりたいのか」ということ。「このビジネスをすれば儲かりそうだから」ということではなく、「世の中にはこの事業が必要だ」という信念と言い換えてもいいでしょう。「算数」は、そのやりたいことを全部数字に直していくということ。つまり「事業計画」ですね。事業を立ち上げるとき、このふたつが欠けていたら、いくら潤沢な資金があっても、いつか躓くでしょう。

さらに付け加えるとすると、生田先生との対談（154ページ）でもお話ししましたが「4つのP」が必要です。マーケティングに詳しい人なら「プロダクト」や「プロモーション」などを思い浮かべるでしょうが、僕の4Pは違います。「purpose(目的)」「peer(仲間)」「passion（情熱)」「play（遊び心)」です。

「パーパス」についてはいうまでもないでしょう。何がやりたいかという目的があって、初めて事業計画がある。だから、すべてのベンチャーや社会起業の真の実体はパーパスだと思います。ところが、どれだけ立派な事業計画があっても、ひとりですべてをやることはできません。必ず、なんらかのかたちで仲間の助けが必要です。これが「ピアー」です。仲間がいたら、困難な課題も乗り越えられるでしょう。

3番目のPは「パッション」で、先ほど述べた「志」とも重なりますが、やはり情熱がなければ困難な起業は長続きしません。パッションはもちろん欠くことができないのですが、4番目のPも同じくらい重要です。遊び心の「プレイ」です。何かに取り組むとき、生真面目にひたすら考えていても、たいしたアイデアは出てきません。どうせチャレンジするなら、机に向かって頭が沸騰するまで考えるのではなく、遊び心を持って、おもしろおかしく取り組んだほうがいいでしょう。そのほうが確実に長続きすると思います。

いま、起業するという前提で話してきましたが、こうした心構えは学業や仕事に取り組むときでも同じです。それは、学業も仕事も、そして趣味も、人生というプロジェクトの一環だからです。そして、そのプロジェクトを実りあるものにするためには、僕たちは勉強し続けなければいけないのです。

仲間の集め方

ここで僕の経験から、「志」や「算数」などについて、もう少し具体的にお話ししておきましょう。

先ほど述べたとおり、僕は還暦でライフネット生命というベンチャー企業を開業しました。このときの「志」は、「保険料を従来の半分にして、安心して赤ちゃんを産める社会を作りたい」というものでした。

歴史を見ると、人口が減って栄えた国や地域はありません。短期的なアップダウンはありますが、ロングランで見たら、人口が減るということは衰退を意味します。また、日本の女性は「赤ちゃんを産むか、仕事を続けるか」の二者択一を迫られがちです。でもこれは問題設定が間違っています。人間は動物なので、産みたいときに赤ちゃんを産むのは当たり前だし、赤ちゃんが生まれなければその群れ（社会）が滅んでしまうことも明らかです。また、仕事を続けなければご飯が食べられません。つまり、両方とも実現できるようにしなければならないのに、実際にはそうはなっていません。加えて、ジェンダー・ギャップ指数（世界経済フォーラムが毎年発表している男女格差の指標）は153ヵ国中121位（「Global Gender Gap Report 2020」）という体たらく。これだけ男女差別が厳しければ、出生率の低さが世界トップクラスなのは当然でしょう。

そこで僕が貢献できることは何か。生命保険については本を書いた経験もあり、自信があったので、一般には高いと思われている保険料を安くしよう、それを通じて安心して赤ちゃんを産める社会を作ろう、と考えたわけです。また、保険料を半分にするためには、従来のやり方ではダメなので、世界初のインターネット販売による生命保険会社を作ったのです。

「算数」については、金融庁から事業を認可してもらうために、ありとあらゆるシミュレーションを行いました。たとえば、金融庁の担当者に「初日に500万件の申し込みが来たらどうしますか」と聞かれます。それはありえない、と思っても、「では、それがありえないという根拠を示してください」といわれてしまう。証明は不可能です。逆に申し込みがゼロだったときのことも考えておかなければなりません。「いや、僕が入るからゼロではありません」といわっても、「出口さんはもう還暦だから、健康状態ではねられるかもしれないでしょう」といわれるのです。ほかにも、封筒の値段や数十円の郵送料、コピー用紙代や印刷代金など細かいことまで具体的な数字で考えなければなりません。

数字で考えることは、事業計画を作るときだけではなく、人生のあらゆる場面で必要になってきます。もともと理系の科目が好きで、数字には強いほうだと自負していましたが、この経験を通じてさらに数字にはこだわるようになりました。

ところで、保険料が半分ということは、給与はそんなに高くは払えないということですね。人を集めるにあたって、保険業の経験がある働き盛りの人は雇えないので、最初は定年退職者専門の就職斡旋会社を回っていました。しかし、最終的に集まってきたのは若い人たちです。それは、僕のパートナーだった岩瀬大輔（当時30歳。元ライフネット生命社長、会長）のブログのおかげでした。

「出口さんという、僕のお父さんより年上のおじさんと、ふたりでベンチャーを始めた。毎日金融庁に行っては不備を指摘されて帰ってきて、また書き直している。免許をもらえるまでに2年くらいかかるらしいけれど、戦後、独立系のベンチャーで生命保険業の免許をもらった例は1件もないというし、心配やな」

こんな文章を読んだら、だれもが不安になって、応募してくれる人がいなくなりそうです。でも、実際には真逆でした。ブログを読んだ若い人が、「このふたりではできそうもないから、手伝ってやろう」と、勝手に押しかけてくれたのです。あとから気がついたのですが、自分たちがやっていることをブログやTwitterなどで発信することは、実は公募と同じ意味を持っていたのです。

そんな感じで「ピアー」（仲間）がどんどん集まってきたのですが、みんなもともと「出口さんと岩瀬さんのふたりじゃアカン」と思って集まってきたわけですから、普通の会社になるわけがありません。必要があれば社長に直接意見をする下剋上がカルチャーの会社になりました。

でも僕はそれを楽しんでいました。さまざまなバックグラウンドがある人が、自信を持って意見を述べ合う——。まさにダイバーシティそのものです。

「運」はコントロールできる？

起業や人生というプロジェクトをマネジメントしていくためには志と算数が必要だという話をしました。でも、それだけでは不十分です。

事業を始めるにあたって、必要なのはまず資本です。ライフネット生命を創業したときは、内閣総理大臣の免許事業である金融業の相場として、100億円以上が必要でした。もちろん個人で出せる金額ではないので、企業に出向いて事業計画を説明し、賛同していただける会社を募りました。このとき、金融庁との折衝を通じて、事業計画を綿密に作成していたことが幸いし、132億円を集めることができました。

でも、それ以上に幸いだったのは、免許が下りたタイミングです。

金融庁に初めて行ったのが2006年10月で、そのときに「免許が下りるまでには2年見てください」といわれました。申請書類は20～30センチくらいの厚さがあり、2～3ページ書くごとに金融庁に持っていって直してもらうので、通常ならそれくらいかかるのです。しかし、スタッフ総出で真面目に取り組んだ甲斐があり、1年半で免許が下りたのです。

そうして2008年3月末までに132億円全額が振り込まれたのですが、これがもし当初の予定どおり、免許が下りるまでに2年かかっていたらどうでしょう。振り込まれる時期は2008年9月末になりますね。ところが9月15日にはリーマンショックが起き、世界同時不況に突入していきます。企業も大打撃を受けたので出資どころではなく、創業に必要な資金が集まらなかった可能性があるのです。

ダーウィンは「運と適応」という有名な言葉を残しています。ダーウィンの進化論とは、いわば〝棚からぼた餅〟の理論で、棚からぼた餅が落ちてきそうなときに、その直下にいることが「運」です。また、ぼた餅を食べようとしている人がたくさんいる中で、「落ちてきそうだ」と真っ先に気がついて、真下で大きな口を開けられることが「適応」です。ライフネット生命の場合、免許を取得するための努力はもちろん重ねていましたが、免許が下りた日程がリーマンショックの前だったことは、運がよかったとしかいいようがありません。

とはいえ、運はあくまで〝プラスアルファ〟と考えるべきで、幸運を期待して努力を怠ると何ごとも成し得ないのはいうまでもありません。運は人智を超えたものであり、「俺はいつもついているんだ」とか、「運も実力のうち」「運は引き寄せることができる」などという言葉には、なんの根拠もないのです。

歴史を見ると、天下統一を目前にして側近に寝首をかかれた織田信長や、ワーテルローの戦いに敗れて退位を余儀なくされたナポレオンの例を持ち出すまでもなく、実は人間の企ての99％は失敗しています。卑近なところでも、たとえば部活を一所懸命やったとしても、甲子園やインターハイに出られるのはほんの一握りの人だけです。

だから、失敗することを恐れる必要は全くなく、うまくいかなくても「自分は多数派やったんやな」と思っておけばいい。でも、「失敗するかもわからないが、これだけはやりたい」「世界を変えたい」というチャレンジャーがいたからこそ、人間の社会は進歩してきたのであって、挑む人がいなければ世の中は何も変わらなかったはずです。そして、「自分は多数派ではなく、1％に入る」と思えた人だけが、成功への切符を手に入れることができるのです。

これは、実はカルヴァン派の人たちの考え方と同じです。

宗教改革以前のローマ教会は、善行を積んだら天国に行ける、悪いことをしたら地獄に堕ちる、と教えていました。でも、何が善行かを判断するのはローマ教会ですから、教会にたくさんお布施をした人が「善行を積んだよね、よしよし」となってしまいます。こうした腐敗に対して、ルターやカルヴァンは反旗を翻しました。ドイツの神学者ルターは「善行ではなく信仰によってのみ救われる」と説き、フランスの神学者カルヴァンは「救われるかどうかは生まれる前から決まっている」という「予定説」を唱えました。

生まれる前から決まっているのだったら、教会にいくらお布施をしても意味がありません。だからローマ教会はカルヴァン派を徹底的に弾圧しました。これが宗教戦争です。それはともかく、最初から天国に行くか地獄に行くかが決まっているのだったら、怠け者の僕なんかは、「それじゃあ、何をしてもええやんか」「一生、遊び倒すで」と思ってしまいます。でも、カルヴァン派の人たちはそうではありませんでした。一所懸命仕事をして人生に成功する人たちを、神さまが地獄行きに振り分けているはずがないと考えたのです。これが、『プロテスタンティズムの倫理と資本主義の精神』の中でマックス・ヴェーバーが分析した内容です。

つまり、成功するのに近道はなく、ひたすら努力、勉強するしかないということです。運がいい人、悪い人はたしかに存在しますが、運は狙ってつかめるものではないので、期待するわけにはいきません。それよりも、カルヴァン派の人たちのように、〝成功することで神さまに見守られていることを証明する〟ほうが、ハラハラしないで精神衛生上もいいのではないでしょうか。

運が人智では左右できないとすれば、人生は川の流れに流されていくしかありません。そして、流れ着いたところで精一杯がんばるしかない。僕は常にそう思っています。

おいしい人生を送るためのヒント

これまでの僕自身の経験からいわせていただくと、これから世界中で必要とされるグローバルな人材は、アップルの創業者のひとりであるスティーブ・ジョブズのような人だと思っています。つまり、知識と思考力と発想力が豊かな人であり、グローバル人材に必要な資質はその3つだと考えています。もっとシンプルにいえば、「いろいろな知見を集めて、社会の常識にとらわれず、自分の頭で、自分の言葉で、何ごとでも自由に考えられる人」といったところでしょうか。

唐突ですが、ここで質問です。皆さんは、おいしい料理とまずい料理、どちらが食べたいですか？　どうせならおいしい料理を食べたいと思うのが人情ですよね。では、「おいしい料理」とはなんでしょうか。これを検討するには、「おいしい料理」を因数分解することが必要です。

おいしい料理をつくるのに必要な要素（因数）は、「さまざまな材料」と「上手な調理法」ですね。ということはつまり、「さまざまな材料×上手な調理法」が料理をおいしくつくるコツとなります。ここまではいいですね。では、これを人生に置き換えてみましょう。あなたは、おいしい人生と、まずい人生、どちらをおくりたいですか？　もちろん、「おいしい人生」に決まっていますよね。そしてそのために必要なことは、「おいしい人生」を因数分解してみればわかるはずです。

「おいしい料理」をつくるのに必要な因数が「さまざまな材料」と「上手な調理法」だったように、「おいしい人生」を送るために必要な因数は、「さまざまな知見、知識」という材料と、調理法に相当する「自分の頭で考える力」です。そして、「さまざまな知識×考える力」が教養であり、リテラシーであり、それは「おいしい生活」と直結しているのです。

もう少し具体的に話してみましょう。

ニンジンとラーメンは皆さんご存じですよね。ムール貝も、ほとんどの人が一度くらいは食べたことがあるでしょう。でも、その3つを組み合わせたら驚くほどおいしい料理ができることは、知らない人のほうが多いのではないでしょうか。

東京・麹町に本店を置くラーメン店「ソラノイロ」は、ニンジンのピューレにムール貝で味つけをしたベジソバ（野菜そば）が人気メニューです。創業は２０１１年と比較的新しいのですが、２０１４年には早くも『ミシュランガイド２０１５東京』に掲載されました。

ニンジンもラーメンもムール貝もみんな知っている。でも、この3つを組み合わせたらおいしいラーメンができると考えた人は、この店の店主しかいなかったのです。このイノベーションを生んだのは、「さまざまな知識×考える力」であることは疑いがありません。

知識を得るためには、繰り返し話しているように「人・本・旅」でいろいろな情報をインプットすることが必要となります。そして「考える力」は、料理といっしょで、最初は他人の考える型や思考パターンを学び、試行錯誤しながら身につけていくしかありません。

料理をするときには、まずレシピを読みますよね。たとえば「豚肉の生姜焼き」を作ろうと思ったら、本やウェブサイトを開いて材料や作り方を読み込み、まずはそこに書かれているとおりに作ってみるわけです。

でも、それだけでは思っていたような味にならないのが普通です。分量どおりに調味料を入れたのに、ちょっと甘かったり、辛かったりするでしょう。そんなとき、皆さんは「塩を減らしてみよう」とか「心持ち砂糖を増やしてみよう」などと、レシピをアレンジしているはずです。そうやって料理の腕を上げていくわけです。

仕事や人生についても、これと同じことがいえます。レシピを読んで料理するように、まずは他人の考える型や発想のパターンをマネしてみる。レシピがなければおいしい豚肉の生姜焼きができないのと同じで、基準となるものがなければ、思考の軸をつくることはできません。

そのときに大事なのは、いいかげんなレシピを参考にしてはいけないということです。間違ったレシピを参考にしていたら、いくらアレンジしても思うようなおいしい料理はできません。

僕が常々、古典が大事だといっているのは、そういうことです。長いあいだ市場の批判や批評に耐え、いまなお輝きを放っている古典を一つの基準として、著者の思考のプロセスを追体験して思考の型を学び、そこから自分なりのアレンジを加えていけば、間違いなく考える力がつくでしょう。

このようにして考える力をつけてこなかった人、すなわち勉強しなかった人はどうなるのでしょうか。

先に見た、明の初代皇帝・朱元璋は、もともと貧農の家に生まれ、托鉢僧として食うや食わずの生活をおくっていました。どん底の生活から皇帝にまで成り上がったのは、運（偶然）が左右したとはいえ、並大抵の努力では足りなかったでしょう。

ところが、即位してからは、愚かな政策を連発します。さまざまなトラブルの元凶になったとはいえ、皇帝と後宮をつないだり、尚書として皇帝と臣下の連絡役を担ったりしていた宦官に字を読めるかどうかの試験を課し、読めた宦官はみんな殺してしまいました。また、自分が昔、貧しい僧であったことを嘲笑しているとして「光」「僧」などの文字を使った者を惨殺したほか、建国の功臣を一族もろとも次々に粛清し、その数は10万人に及んだといいます。

とはいえ、このように自らの不勉強によって国や組織の未来を危うくしてしまうケースは決して珍しくはありません。有名な大企業でも、ときにおかしくなっていくことがあるのは、リーダーが勉強していないからでしょう。古い時代の成功体験の延長線上で戦略を立ててしまい時代の変化に対応できなかったり、粉飾決算に手を染めてしまったりするのは、やるべきこと、すべきではないことなど、いわゆる帝王学を学んでいない典型的な例だと思います。

きちんと学べばおいしい生活ができる可能性が広がる一方で、勉強を怠れば破滅につながるかもしれない――。その差は、いま皆さんが想像している以上に大きいと思うのです。

日本の「義務教育」からジョブズは生まれない

「さまざまな知識×考える力」こそが教養であり、リテラシーであり、「おいしい生活」に直結する、と述べました。ただ、残念ながら、知識を蓄えず、考える力を養っていない日本人が少なくないと思います。それは2000時間を超える長時間労働を行っているにもかかわらず、この四半世紀のGDP成長率が欧米先進国と比べて明らかに低いことからも明らかでしょう。

なぜ考える力が育たなかったのかというと、日本はいまだに、戦後うまくいった製造業の「工場モデル」――大量生産、大量消費を前提とした社会システムの延長線上で物事を考えてしまっているからです。

戦後、アメリカへのキャッチアップを目指して、工業立国として復興を図っていく中で、日本は素直に働く協調性のある人材を評価して大量に採用してきました。そして、日本が独立を回復した1954年から、1991年にバブル経済がピークをつけるまで、平均7％弱の成長が続き、「黙って働けば10年で所得がほぼ倍になる」時代が続いたのです（72のルール、即ち［72÷成長率 or 金利≒元本が倍になる年数］を思い出してください）。

たとえばカラーテレビをつくる工場では、5要素（169ページ参照）を持った人材、「そこそこ高い偏差値を持ち、素直で、我慢強く、協調性が高く、上司のいうことをだまって聞き」、長時間労働も辞さず黙々と働く人材が評価されました。

ところで、この生産ラインに、アップルの創業者であるスティーブ・ジョブズを立たせたらどうなるでしょう。きっと、彼はすぐには仕事に取りかからず、腕組みをしてあれこれ考えて、工程の一つひとつに注文をつけていくに違いありません。美しい生産ラインはできるかもしれませんが、たちまちテレビの生産は滞り、業績ががた落ちすることは目に見えています。しかし、GDPに占める製造業のシェアが20％ギリギリまで落ち込んだ現在、これまでと同じように「モノ作り神話」を信奉していたら、サービス産業に大きく軸足を移した世界からは遅れてしまい、成長が望めないのは当たり前です。かつてのような製造業の工場モデルではなく、新しい仕事をクリエイトしていくジョブズ的な発想がますます重要になってきているのです。

ジョブズを生んだアメリカでは、大学の卒業生はなんのためらいもなくベンチャー企業やNPO、NGOに就職します。ヨーロッパでは「ノブレス・オブリージュ」（高い地位に伴う道徳的・精神的義務のこと）といわれるように、自発的に社会問題を解決していこうという考えを持った層の人たちがたくさんいて、大企業ではなく、小さくとも自己実現ができる組織を目指す傾向にあります。

しかし、製造業の工場モデルが社会常識となっている日本では、いまだに多くの学生が右にならえで大企業を目指します。大企業への就職が経済的安定を意味する途上国ならいざ知らず、先進国でみんなが既存の大企業を目指している国は、日本くらいなものではないでしょうか。

庶民に「お上に従う」という風潮が強かったのは明治時代も同じです。しかし、板垣退助らの自由民権運動が民衆の支持を得たり、田中正造が足尾鉱毒事件を追及し続けたりするなど、社会常識にとらわれないで自ら行動を行う人が少なくありませんでした。また、実業家の梅屋庄吉は、香港で出会った孫文と盟友になり、巨額の資金援助を行いました。梅屋のように中国を応援する人が多かったので、若き日の周恩来も1年ほど日本に留学しています。つまり、明治・大正時代の日本はいまの日本と比べても格段にダイナミックな動きをしていたのです。

翻って、製造業の工場モデルがスタンダードになっているいまの日本で、義務教育を真面目に受けていても、ジョブズ的な「知識と考える力」はなかなか身につかないでしょう。「みんなで決めたことを守りましょう」といった考え方が基本にあり、個性は必ずしも大事にされません。「人はみんな違っている」というファクトはあまり重要視されず、依然として製造業の工場モデルに最適な、5要素を持つ人材を量産するための教育が行われているような気がします。これは、海外の先進国の教育とは根本的に異なっています。

わが国の教育は、社会学者の本田由紀さんが指摘したように、「垂直的序列性」(東大を頂点とするピラミッド型の大学集団を考えればわかりやすいでしょう)と、5要素に象徴される「水平的同質性」をその特徴としているのです。

加藤積一さんとの対談（158ページ〜）でも話しましたが、海外では幼稚園から学ぶ「人はすべて違う」という人間社会の基本を、中学生になっても学ばないような義務教育を続けていれば、いつまでたっても日本にジョブズは現れないでしょう。

人には差があるのが当たり前

もう一つ、日本の義務教育の大きな問題点は、「公平性」を取り違えていることです。たとえば能力別にクラス分けを行おうとすると、「差別だ」「公立の学校にはそぐわない」などと大問題になったりします。しかし、能力別にクラスを編成したほうが有効であることには疑いの余地がありません。もしも水泳教室で、泳ぎが得意な子どもと、かなづちの子どもをいっしょに指導したらどうなるでしょうか。泳ぎが得意な子どもは「もっといろいろな泳ぎ方を教えてほしい」と思うでしょうし、不得意な子どもは「じっくり練習させてほしい」と感じるでしょう。つまり、全員が不幸になってしまいます。それと同じことが、学科の授業についてもいえるのではないでしょうか。

能力別にすると「差別だ」という声が上がるのは、「成績のいい子どもが偉い」という旧態依然とした価値観に縛られているからです。学科の成績と人間性は全く別物です。勉強ができるからといって、人間的に優れているとは限らないし、将来、大成するとも限らないのです。たとえば、トーマス・エジソンは小学校を中退しているし、ヴァージン・グループの創業者であるリチャード・ブランソンも高校を中退しています。

水泳教室では、速く泳げる子どもは速く泳げる子ども同士で練習するほうがいいし、かなづちの子どもはかなづちの子ども同士で特訓するほうが指導の効果が上がります。それと同じことを全教科でやるべきだと僕は思います。

それは教育の効果を上げるためには当然のことであり、差別でもなんでもありません。むしろ、「差をつけてはいけない」というのは、人間性の無視といってもいいでしょう。人間はだれでも能力に差があるので、できないことをやらされることほど不幸なことはありません。逆に、できることで評価されると、「よし、もっとがんばろう」とモチベーションが上がります。リレーで女生徒が「キャー！」といってくれる快感がなかったら、僕は陸上部には入っていなかったと思います。

わが国の問題は、戦後の画一教育に対する批判が、個性や多様性の尊重には向かわず、ともすればアナクロニズムに近い戦前回帰の傾向を取ることにあります。学校の「決まり」や校則も同じです。日本のある小学校がブランドものの制服を導入して話題になりましたが、制服の値段を云々する前に、そもそも制服自体が必要かどうかから議論すべきだと思います。

髪の毛の長さや髪型、染髪などについて細々とルール化している学校があると聞きますが、なぜそういうルールになっているのか、その決まりは本当に必要なのかを、数字・ファクト・ロジックで一つずつ考えていくべきです。そして、根拠のない（生徒に説明できない）校則は、即刻廃止する勇気を持つことです。根拠のない校則を生徒に押しつけることは、パワハラそのものです。

僕が通っていた学校にも校則はありましたが、生徒手帳を読んだことはなかったので、おそらく勝手に破っていたと思います。授業がおもしろくない先生が、テストで変な問題を出したときには、「こんな問題、意味ないで」と書いて提出したりしていました。内申点がどうなるかというようなことは、考えたこともありません。ですから、先生とは頻繁にケンカをしていました。おもしろくないときは、授業中でもクラブ室に行って本を読んでいたりしました。親も、何回か学校側から呼び出されて注意を受けていたようです。でも、うちの親は放任主義だったので、「ええかげんにしておけや」くらいで、それ以上のことをいわれた記憶はありません。

いま、振り返ってみれば、「なんてアホな子どもだったんだろう。先生は苦労しただろうな。申し訳なかったな」と思います。とはいえ、もしいまもそういう生徒がいたら、先生はルールを押しつけるのではなく、放っておけばいい。成長したら、いずれはわかるものです。生徒が、高校時代の僕のようにうしろを向いて座っていれば、怒るのではなく「自分の授業がおもしろくないのかな。ちょっとやり方を変えてみるか」などと、ゆったり構えておけばいいと思います。

偏差値に縛られない生き方

ところで、東京大学を頂点とする有名大学に入るのはどんな生徒でしょうか。条件反射、脊髄反射能力に優れていて、難しい問題を短時間で解くことができるタイプや、競争心が強くて、どんな科目でも全部トップを目指すというタイプ。これらが偏差値の高い生徒の特徴です。

でも、世の中にはなんでもトップという人は稀で、足の速い人もいれば遅い人もいるし、語学が得意な人もいれば苦手な人もいます。算数が得意な人も、嫌いな人もいるでしょう。それらはすべてその人の個性なので、強い部分を伸ばしていくのが、これからの教育のあり方だと僕は思っています。

偏差値が高ければ人生の役に立つかといえば、そうとは限りません。たとえば日本で最もたくさん社長を輩出しているのは、偏差値がトップの東京大学ではありませんね。その事実は、偏差値と実社会を生き抜く能力とは関係がないという一つの表れです。

生田先生との対談（138ページ〜）でも話しましたが、僕は、すべての教科がまんべんなくできて、偏差値が高い人は東京大学を目指せばいい、そうではなくて何か得意なことを一所懸命がんばるタイプの人――いわば「変人（個性派）タイプ」はAPUで引き受ける、と公言しています。なぜなら、アインシュタインは「あきらめない人しか結果を残さない」という趣旨の言葉を残していますが、スティーブ・ジョブズやマーク・ザッカーバーグにも通じる個性派タイプの人材が、沈滞している日本を救ってくれるはずだと思っているからです。

世の中には無数の道があり、偏差値とは無関係に豊かな人生を送ることができるルートが、星の数ほどあると思います。僕はこれを山にたとえて「富士山型から八ヶ岳型へ」と表現しています。従来、大学の頂点は東京大学（富士山）であり、みんながそこを目指していました。しかしこれからは、偏差値だけではなく、いろいろな意味で尖った人材が必要とされる。即ち、個性的な峯（大学）が連なる八ヶ岳を目指すべきです。大学の在り方や構造にも、ダイバーシティが必要なのです。

経済成長理論の創案者でもあった経済学者のシュンペーターは、「イノベーションは既存知の組合せである」と述べています。加えて、既存知間の距離が近ければ画期的な発見は生まれにくく、距離が遠いほうがおもしろい創造につながるという経験則があるので、ここからもダイバーシティが大事だということがすぐにわかります。

あるいは東日本大震災後に地域おこしをしていくうえで、その地域に住んでいて、地元のことをよく知っている人は、かえって斬新なアイデアを出しにくく、「よそ者・ばか者・若者」のほうが魅力的なものを出せた、という話もあります。これも、ダイバーシティの本質を言い表していると思います。

日本では、「変なことを話す人がチームに入ってきたら意思決定が遅くなる」「みんなでがんばる気になれない」などという人がいます。でも、いくら優秀な人たちが集まっていても、気心が知れている同じようなメンバーで会議をしていたら行き詰まるだけです。日本は同質圧力が強く、議論するときにもお互いに気を遣い合うので、なかなか結論を出せません。だらだらと話し合いが続き、疲れたところで、やっと「もうええわ」と意見がまとまる、などということが少なくないのではないでしょうか。

この社会の同質性こそが、この四半世紀にかけて日本の社会、日本の企業が衰退していった大きな原因であることは間違いありません。その証拠に、日本人だけで経営している日本企業は、意思決定が遅いことで有名ですね。一方、グローバル企業は意思決定が速いことで知られています。これはなぜかといえば、文化風土が違う人たちが集まって意思決定を行うためには、情緒ではなく「数字・ファクト・ロジック」で合理的に判断するしかないので、かえって素早く意思決定が行えるからです。

また、最近は「非認知能力」が注目されています。学力テスト学やIQテストなどで点数化できるものを「認知能力」と呼ぶのに対して、最後までやり抜く力や感情をコントロールする力、他人と関わる力など、IQテストなどでは測定できない内面的な能力全般を「非認知能力」と呼びます。そして、実人生では非認知能力の高い人ほど成功を収める可能性が高いことがよく知られています。

非認知能力を高めるために、いちばん大切なことは、「自己肯定感を高め（簡単にいえば、ほめて育てる）、「好きなことを徹底的に追求させる」ことです。子どもには個性があり、一人ひとり違うのが当たり前。勉強が得意な子どもがいれば、スポーツに長けている子どももいるし、ゲームが誰よりもうまい子どももいます。そして、勉強ができる子どもが偉くて、スポーツやゲームが得意な子どもは偉くない、という考え方は、100％間違っていると思います。テストでいい点が取れるというのは、足が速いとか歌がうまいのと同じで一つの能力にすぎず、人間の価値とは関係がないのです。

それなのに、テストで点が取れることが最も重要である、という風潮があるのは、教育界やメディアを含めて、日本の社会が偏狭な同質社会になってしまっているからでしょう。それと同時に、たとえば学校においては「平均点を上げればいい」「みんなで決めたことをきちんと守ろう」という具合に枷をはめ、これまでの惰性でとにかく先生や上司のいうことを聞く5要素タイプの人間を養成しようとしているからではないでしょうか。

他人と比べられて劣等感を味わうことで、人は自己肯定感を失っていきます。とくに子ども時代に、他人と比べられると、その子どもが持っているいい芽を摘むことにもなりかねません。「ほかの子どもは勉強してるじゃない。あなたも勉強しなさい」などという言い方をする保護者や先生は、人はみんな違っているというファクトを直視していないのです。「よその子どもはあんなに勉強しているんだから、ゲームはほどほどにして勉強しなさい」といわれてしまう環境で、ゲームのプロが育つわけがありません。

子どもがいる人は、ぜひわが子を他の子どもと比べていないか、好きなことを徹底的にさせているか、常にほめているかなどをよく考えてみてください。もちろん大人も、自分が好きなことを追求できるような環境を整えていくことをおすすめします。

話が少し遠回りになってしまいましたが、非認知能力は多様性の中で鍛えられます。世界中から学生が集まるAPUは、自ずと非認知能力が高い人材を育てる土壌ができていると自負していますが、もちろん専売特許ではありません。他の大学に通っている人、すでに社会に出ている人、もうリタイアしている人などすべての人にとって、非認知能力を養うためにも多様性が大切なのだと思います。

勉強は、まず大人から始めよ

日本の人口は約1億2700万人で世界第10位（2018年／世界銀行）です。これが2050年には16位くらいか、ひょっとすると20位くらいまで後退するかもしれません。その目玉はアフリカ諸国で、人口とともに知的レベルも急激に伸びているようです。

人口が減って栄えた国や地域はないので、日本は赤信号が点滅しているような状況ですが、政府はただただ手をこまぬいているように見えます。対策を議論する前に、「もう、どうしようもない」とあきらめてしまっているのではないでしょうか。

極論すれば、人口が減っている、つまり出生率が低い根本原因は、男女差別にあると思います。前述のとおり女性の地位がきわめて低く（世界で121位）、「育児・家事・介護」が女性の仕事とみなされているような日本の社会で、女性がたくさん赤ちゃんを産もうと思うわけがありません。だから、男女差別をなくさなければならない。そのためには、「男は仕事、女は家庭」という製造業の工場モデルに過剰適応した、性分業を推進するために設けられた歪んだ制度（配偶者特別控除や、第3号被保険者）を撤廃し、ヨーロッパの経験からクオータ制（政治や経営に携わる女性を一定の割合以上にする制度）を採り入れればいいということがわかっています。それなのに、そうした議論が本格化する兆しは一向にありません。

一部の人は問題意識を持っていると思いますが、社会全体としては、危機に反応する力が衰えているように見えます。それは、「メシ・フロ・ネル」の長時間労働の中で勉強する時間が持てないからです。それは一般の人たちだけではなく、新聞社や出版社、テレビ局などのメディアも同じで、客観的な相互検証が可能なファクトに基づいた報道を必ずしも行ってはいないように感じます。加えて、いまや日本全体に学ぶ意欲がなくなっており（その象徴が、海外で学ぶ留学生の減少です）、それが日本の衰退に結びついているような気がします。

メディアは何よりもファクトチェックを行い続けなければならないのに、逆に一部のメディアは人心を惑わすような言説をまき散らしており、しかもそれがウケるので粗悪な情報が拡大再生産されています。反中本、嫌韓本、そして日本礼賛本が根強い人気を保っているのは、悪貨が良貨を駆逐する好例でしょう。中国の書店に行っても、「日本はこんなにひどい国だ」などと主張している本はほとんど見られません。それよりも、中国の皇帝や、偉大な漢民族の歴史に関する本、ベンチャーやビジネス本が大勢を占めています。

第1章で、常識を疑うことの大切さに触れましたが、「酸っぱいブドウ症候群」にともなう歪んだ発言には気をつけなければなりません。一見もっともらしくて、傷ついた自尊心を癒やしてくれるようには見えますが、問題の根本的な解決には何の役にも立たないからです。

たとえば、「日本の経営は優れている」という経営評論家が少なくありません。「欧米の強欲資本主義とはえらい違いやで」「日本の経営者は三方一両損で、社員を大切にしてるで」というわけです。でも、それが本当なら、なぜ長時間労働にもかかわらず、日本の成長率が先進国でいちばん低いのか、社員のうつ病がいちばん多いのか、先進国で唯一、若者の死因の一位が自殺なのか、説明がつきません。つまり、そう主張する経営評論家は、エビデンスではなくエピソードで語っているということです。こういう、エビデンスに基づかない、根拠なき精神論を捨てなければ、この社会はよくならないと思います。

私たちは、メディアや著名評論家など、発言力の大きな人が述べたことは、つい無批判に信じてしまいがちです。でも、いくら人気のある著名な人が語ったことだとしても、まず疑ってみる態度、即ちファクトチェックが欠かせません。「学ぶこと」は「疑うこと」と、ほとんど同義です。物事を疑わない限り進歩はないのに、全く疑わなくなってしまっているのがいまの日本の状況です。

大人が疑わないと、子どもも疑わなくなってしまいます。よく「いまの若者は……」という発言が聞かれますが、大人がダメになったから、それを見ている若者がダメになるのは当たり前。若者批判をしている人は、その言葉がそっくりそのまま自分に返ってくると思ったほうがいいでしょう。

そもそも、お父さん、お母さんがビールを飲みながらバラエティ番組を観て大笑いしているのに、子どもに「はよ勉強しいや」「テレビばかり観てないで本を読みや」といっても、聞くはずがありません。子どもに勉強をさせたければ、まず大人が勉強しているところを見せる必要があるのです。

そして、「日本はスゴイ」というような、一瞬スカッとする言説に惑わされず、また「ゆでガエル」になってしまわないように、社会全体で謙虚に学び続けていくべきだと思うし、もちろん僕もそうするつもりです。

だって、そのほうが人生が楽しくなるし、何よりもおもしろいとは思いませんか。

学びのスペシャリスト対談——5

「生きる」という勉強

漫画家として、エッセイストとして
大活躍中のヤマザキマリさん。
その原動力の一つになっているのが
イタリア時代の挫折だ。
学力には自信のあったヤマザキさんが
「知ることに対して謙虚になろうと思った」
きっかけとは——?

ヤマザキマリ Mari Yamazaki

1967年東京都出身、北海道育ち。17歳で絵画の勉強のためイタリアに渡り、国立フィレンツェ・アカデミア美術学院で、油絵と美術史を専攻。1997年に漫画家としてデビュー。『テルマエ・ロマエ』で第3回マンガ大賞、第14回手塚治虫文化賞短編賞受賞。エジプト、シリア、ポルトガル、米国を経て現在はイタリア在住。2015年度、芸術選奨文部科学大臣賞受賞。2017年、イタリア共和国星勲章コメンダトーレ綬章。

著書に『国境のない生き方』『仕事にしばられない生き方』(小学館)、『男性論』(文春新書)、『スティーブ・ジョブズ』(講談社)、『プリニウス』『パスタぎらい』(新潮社)、『ヴィオラ母さん』(文藝春秋)などがある。

「境界を越えていくことを想像すると、
ワクワクします」

ヤマザキマリ——Mari Yamazaki

「僕は占いで、『世界を放浪して野垂れ
死ぬ人生』といわれました（笑）」

出口治明——Haruaki Deguchi

出口治明　ヤマザキさんは漫画家であると同時にエッセイストでもあり、以前はイタリア語講師やテレビのリポーターもされていたとうかがいましたが、小さい頃は何になりたいと思っていたのですか？

ヤマザキマリ　どんな仕事をすることになるかはわからないけれど、1ヵ所にじっとしている人にだけは絶対にならないという確信はありました。それは冒険家かもしれないし、絵描きさんかもしれない。あるいは何か研究する人かもわからないけども、一つのところにとどまっているのではなく、自分の生まれ育ったところではない、どこか別の場所に行く人になるんだろうな、という感覚はずっと持っていましたね。

何せ子どもの頃に憧れていたのは、「裸の大将」の山下清さんと、「ムーミン」に出てくるスナフキンみたいな風来坊ですから。

出口　それは農耕民ではなく、遊牧民の感性ですね。

ヤマザキ　そうですね。たとえば学校で、「ここまでが学区域です。区域外に行ってはいけません」といわれると、境界の向こうが私の目的地になって、自転車で行ってしまう。「行ってはいけないということは、向こうに何かすごいものがあるんだろう」と逆に好奇心がわいてくるタイプでした。

出口　僕はもともとナマケモノで出不精なタイプです。したがって、ヤマザキさんほどアクティブに活動はできないのですが、その感覚はよくわかります。僕は三重県の伊賀の盆地で育ったのですが、子どもの頃に『山のむこうは青い海だった』（著・今江祥智／理論社）という本を読んで、胸がキュンとなりました。

あと、母校の上野高校の校歌の3番が、たしか「四方を囲める山々も　丘に登れば低く見ゆ吾等の望み山々を　越えて溢れて外に出ん」という歌詞でした。1番と2番はもう忘れましたが、3番だけはよく覚えています。

ヤマザキ　境界を越えていくことを想像すると、ワクワクしますよね。私が住んでいた北海道には広い平野があって、視界の3分の2が空という場所がたくさんあります。しかも千歳市だったから飛行機もよく飛んでいました。子どもの頃は、飛行機を見るたびに「別の大陸も同じ空でつながっている。早く飛行機に乗って向こうに行きたいな」と思いを募らせていましたね。山を見たときの出口さんと似た気持ちだったかもしれません。

出口　僕はかつて1回だけ占いをしてもらったことがあるのですが、値切ったせいか、めちゃくちゃなことをいわれました。「あんたは天涯孤独で、世界を放浪して野垂れ死にをするタイプやで」と（笑）。でも、よく考えてみたら、世界を旅しながら行き倒れる人生なら、それはそれですばらしいなと思ったりして。

ヤマザキ　いいじゃないですか、野垂れ死に！　野生動物や、身近なところでは猫なんかも同じですが、動物って死期を悟るとどこかに姿を消しますよね。子どもの頃、ああいう姿の消し方に憧れていました。「野垂れ死ぬ」という言葉は否定的なニュアンスで使われることが多いですが、私は全く嫌な言葉に聞こえませんよ。

出口　自由に好きなところに行って、自由に死ねるというのは理想的な人生だとは思いますが、家族のことを考えると、ある種の足かせになって、それほど自由に振る舞えないという人もいるかもしれません。ヤマザキさんならどんなアドバイスをしますか？

ヤマザキ　私は、家族の絆って距離だとは思っていないんですよ。たとえば、私は日本が中心で夫はイタリア、子どもはハワイと、みんなバラバラの国に住んでいます。でも、結束感はある。結束という言葉はちょっと違うかな……めいめいが、それぞれの土地でやっていることをリスペクトしているんですよね。

お互いに自分たちの才能が発揮できる場所でがんばっているので、たまに連絡しあったときには、それぞれの報告をし、モチベーションを交換してテンションを上げる。その関係性がすごく気楽でいいんですよ。もちろん、年に3回か4回ですが、みんなで集まったときにはまったりとした時間を過ごします。

家族は、私が困ったときに、最初に相談したり助けを求めたりしてしまう人たちです。でも、だからといって常にいっしょにいるべきだとは思いません。それはたぶん母から教わったことで、彼女は家族に「私がそばにいないとダメなんだ」と思わせるところが一切ないんですよ。だから私も普段から家族に依存するようなことはないし、夫や息子もそういうところがあります。いっしょにいる時間が終わって離れるときは悲しくなりますが、それでもさっぱりしているほうでしょう。

お二人とも亡くなりましたが、樹木希林さんと内田裕也さんのご夫婦などは、私にとってはそういう意味でも素敵だった。バラバラに暮らしてはいるけど、仲の良い悪いを超越したお互いのリスペクトがあって、ケンカしようが何があろうが、結局最後まで夫婦を続けられた。関係のない人から批判されたこともあったけれど、否定される筋合いは全くないと思います。

出口　おっしゃるとおりです。カップルやグループの人生や時間の過ごし方について、他の人が「おかしい」とか「ヘンや」という資格は全くありません。人間は一人ひとり顔が違うように考え方や生き方もそれぞれ違います。それぞれの価値観を尊重すればいいのであって、自分の考えや価値観を押しつけるのは、全くよくないですよね。

ヤマザキ　価値観の押しつけに対しては、毅然としてはねのけたいですね。私の母は、まさにそういうタイプでした。

母はヴィオラ奏者で、夫を早くに亡くしたシングルマザー。札幌交響楽団初の女性奏者として入団するため、私と妹を連れて東京から北海道の団地に移り住みました。年季の入ったハイエースに乗ってあちこちの演奏会などを飛び回り、家を空ける時間も長かった。

母はどこか浮世離れしたところがありまして、たとえば、用意してくれたお弁当を教室で開けたら、彼女が戦後最も好物だった砂糖とバターとを塗った食パンだけがギュウギュウに詰められていたり、団地では飼えないとわかっているのに、「放っておけない。かわいそうで」といって突然、子犬を拾ってきたり。世間がよしとしている価値観より自分の感性を大事にする人ですね。

そんな母でしたから、団地という狭い社会では何かと目立ってしまいます。村八分とまではいかないまでも、「どうして女性なのにそんな仕事をしているの」「なんでいつもお子さんたちふたりきりにして放っておけるの」と、チクチクやられるわけです。でも母はそれに対して、「いいんですよ、おかまいなく」とやり過ごしていた。「だってしょうがないじゃない。うちの家とあなたの家は違うのだから」と考え方が全くブレていなかったんですね。

するとおもしろいもので、今度はまわりが母に慣れてきて、受け入れられるようになってきました。外国人といっしょに暮らすと、言葉も宗教も違うから最初は戸惑うけれど、いつの間にか慣れてきて、いっしょに居るのが当たり前になっていくのと同じで、誰も母の特異さをうるさく言わなくなっていったのです。

出口　ノーベル賞作家のバーナード・ショーは、「世界を変えるのは少数派だ」と延べました。賢い人は、多数派に合わせればかわいがってもらえることがすぐにわかるから、即座に同調します。でも、不器用な人は同調できずに自分を押し通して、結果的に世界を変えていく。お母さまはまさに世界を変えていかれたのですよね。ご自分の軸が揺るがないので。

ヤマザキ　いや、母はそこまできちんと自己分析できていないと思いますよ。ただ勢いに任せて、「え？　私は誰にも迷惑もかけず充実しているのに、家族のこともこんなに愛しているのに、何がいけないの?」という感じだったと思います。

出口　まわりから批判されると、「そうかもしれない」とすぐに態度を変えてしまう人が少なくありませんが、そういう人は結局、自分の生き方に自信がなく、腹落ちしていないのだと思います。お母さまは自分の生き方に腹落ちしておられたから、何をいわれようと聞き流せたのではないでしょうか。

ヤマザキ　他人に何かをいわれて潰れてしまう人って、もともと「まわりからいわれた情報でできあがっている人」だと思います。まわりの人のリアクションがないと、自分がどういう人間かわからなくなってしまう。

先ほど、少し触れましたが、母の父、つまり私の祖父は、大正から昭和にかけて、ずっと海外で暮らしていました。さらに彼の父親は、明治の初期、家にイタリア人の音楽家を住まわせて音楽を習っていたそうです。まわりから見れば「なんなの、あの家は?」という家で育ったので、母も他人と違うことに対して後ろめたさを抱くことはなかったでしょうね。

世間の常識から外れた行動をしていても、家族から「あなた、ちゃんとしなさい。そんなことでは、世間に顔向けできないわよ」といわれるわけではなく、自分でよかれと思ってした行動に対しては「え、何がいけないの?」といえるような家庭だったので、後ろめたさが育まれようがない。もちろん私もそうですが、この特質は連綿と受け継がれている気がします。

出口　多様性が求められるこれからの時代を先取りしておられたのだと思いますよ。

「ものを知らない悔しさは、
勉強するモチベーションになりますね」

出口治明――Haruaki Deguchi

「だから、まず知ることに対して
謙虚になろうと思いました」

ヤマザキマリ――Mari Yamazaki

出口　ヤマザキさんは17歳のときにイタリアに留学されたのですよね。

ヤマザキ　日本の女子校に通っていたんですが、そこを途中で退学して、その後フィレンツェの国立の美術学校に入学しました。でも、これは自分の意思で行ったわけではないんです。私はパンクが好きなので、海外に行くならロンドンと決めていました。でも、ヴィオラ奏者の母がイタリアの知人とのやりとりで勝手に決めてしまったんです。まずは、イタリアに行ってこいと。そのうえでロンドンへ行きたいならそうしなさい、と。

もともと絵を描くことが好きだったから、本格的に油絵を学べることはうれしかったのですが、「イタリア!?　聞いてないよ」という感じで（笑）。

出口　絵の勉強だけではなく、美術史を学ばれたとか。それはどうしてですか？

ヤマザキ　フィレンツェに留学したとき、私の後見人になってくれた作家のおじいさんがいました。彼はイタリアにおけるゲイ文学の先駆者で、あるサロンの中心人物でした。サロンになっていたのは書店で、ちょうど須賀敦子さんが『コルシア書店の仲間たち』で描かれていたようなところですが、さらにマイノリティな意識を持ったインテリの集まりです。

私がそこに顔を出すと、みんなからもうコテンパンにやられるんです。「この東洋からやってきた娘っこは、世の中のことを何もわかっていない。日本やイタリアの政治や社会構造をわかっていないどころか、自分の母国の文化についても無知。日本の文学も読んでいないそうじゃないか。そんなやつが絵を描くって？　冗談はよしてくれ」という感じで。

私は14歳で欧州を1ヶ月間ひとりで旅した経験もあるし、学校の勉強もそれなりにやっていた。学生時代は先生にも一目置かれていたことで自分にも自信があった。ところがそんな自負がたちまち崩壊してしまうくらい、ガンガンに容赦なく言われたんです。それがもう悔しくて、恥ずかしくて……。

でも、羞恥心よりも納得のほうが強かった。「高校2年生まで何を勉強してきたのか知らないけれども、君は何もわかっていないよ。まず社会事情や歴史のような基礎教養が足りない。それがわからなければ、絵も描けない。イタリアのことも理解できないだろう。絵がうまい、へたはそのあとだよ」とおじいさんからいわれたのですが、彼自身がマイノリティでいろいろな経験をしてきているから、言葉一つひとつがものすごく重いんです。

そして、棚に並んでいた三島由紀夫や安部公房を抜き出して、「まずは自分の国の傑作を読みなさい」と言われました。

出口 悔しさは勉強のモチベーションになりますよね。僕は大学に入学した直後、同級生たちから「おまえ、まだマルクス読んだことないのか」と馬鹿にされて悔しかったから、むさぼるようにマルクスを読みました。岩波文庫の『経済学・哲学草稿』から始まって、ヘーゲル、カント、デカルトとさかのぼり、結局プラトンまでいった。馬鹿にされていなかったら、あの時期に哲学の本は読まなかったかもしれません。

ヤマザキ その悔しさって、それを知らないままやっていく自信がない自分の不安への防御なんですよね。論破したくても、まずその内容を知らないことには、同じ土俵の上にすら立てない。だからまず知ることに対しては謙虚になろうと思いました。

出口　わかります。美術史も、その延長線上で勉強されたのですか。

ヤマザキ　はい。実はちょうどその頃、私自身も絵のことで悩んでいました。学校でテクニックばかり教わることに疲れて、「どうして人間は表現したがるんだろう」とか「人間にとってなぜ美術は必要なんだろう」といったことばかり考えるようになっていたんです。美術史を履修することにしたのもそれが理由です。

後見人のおじいさんは、実は大学で長く美術史を教えていらっしゃった方だったので、「美術史を理解することが、デッサンをうまく描くこと以上に、将来おまえを助けるだろう」といってくれました。美術史というのはその時代を生きる人々の社会的バックグラウンドをせきらに反映する鏡みたいなものです。だから、学んでいくうちに今度は歴史のほうに強い興味が出てきてしまい、美術という枠を超えた領域のことも知りたくなっていった。そうやってどんどん収拾がつかなくなっていったのです（笑）。

出口　でも、そのとき学んだものがいま活きているとは思いませんか。

ヤマザキ　思います！　いま連載中の『オリンピア・キュクロス』は、古代オリンピックと現代オリンピックの比較論を描きたくて始めたのに、気がついたらプラトンやソクラテスが原稿の中に現れている。彼らにとって弁証は至高の表現手段であり、政治に利用されがちな絵画や彫刻といった表象を一切信じません。でも、タイムスリップして手塚治虫と出会い、漫画という文化に触れて衝撃を受けるといった内容です。

途方もないことを描いていますが(笑)、こういう発想も、当時サロンの人たちに焚きつけられて学んだものがベースにあると思います。

出口 実は僕も美術史にとても興味があり、本を1冊準備中です。イタリアの美術は本当に豊かですが、どんな時代、どんな画家に興味を惹かれましたか。

ヤマザキ 美術学校で最初に専攻したのは油絵学科でした。先生が「ひたすら模写してこい」というので、最初はウフィッツィ美術館に行ってラファエロだ、ボッティチェリだと描きまくったのですが、私はどうもルネサンスの典雅的で絢爛豪華な絵には、あまり魅かれませんでした。

それよりも私が強く魅かれたのは、ルネサンス初期の人たちです。暗黒の中世時代につくられた表現や様式の箍《たが》を打ち砕いて、その後のルネサンス繁栄の礎を作った人たち……画家でいえば初めて人間に生々しい涙を描いたジョットや躍動感のある肉体表現を描いたマサッチオ、遠近法にやらたとこだわったピエロ・デッラ・フランチェスカやパオロ・ウッチェロなどです。その後、北方ルネサンス(アルプス以北で始まった美術)の画家たちにもハマっていくのですが。

そして、美術史、ルネサンス史を勉強していたときに好きになった画家が、人物を非常にうまく描くアントネロ・ダ・メッシーナです。実はいま『芸術新潮』で連載している「リ・アルティジャーニ」という漫画に、メッシーナもウッチェロもマサッチオも、そしてもう1人私の大好きなマンテーニャといった画家たちが出てきます。日本における一般的知名度は低いので、知ってほしくて描いているんです。

彼らがすごいのは、絵だけではなく、多元的な興味があって基本的に頭がいいことです。「ダ・ヴィンチは絵画だけではなく、彫刻、建築、数学、解剖学などができた万能人だ」といわれますが、この時代の人にとっては、結構それが普通だったりするんです。

出口　ピエロもメッシーナもウッチェロも大好きです。好みが合いますね。それに、ダ・ヴィンチだけではなく、ラファエロだって設計にも考古学にも精通していますね。

ヤマザキ　そのとおりです。そのうえラファエロはダ・ヴィンチのようにへそ曲がりの偏屈ではなかったし、多分人当たりもよかった。だから皆に重宝されていました。ラファエロはよく女性にモテた画家といわれますけど、彼は誰からも愛されていたと思うのです。

私も経験がありますが、肖像画を描くときには、その人の欠点を隠してきれいに描いてあげたくなるんですよね。でも、それをやりすぎると「これは私じゃない」と機嫌を損ねてしまう。その点、ラファエロは欠点も含め、その人の持っている良さをうまくキャンバスに描きます。たとえば表情が冷たく見える女性がいれば、少しだけ変えて気品のある女性として描くんです。当時は美容整形なんかないけれど、きれいな顔を絵に残しておけるなら、誰でもお願いしたいと思いますよね。

出口 ラファエロはなんでも器用にできる天才でした。普通なら鼻持ちならない人間になってしまってもおかしくないのに、彼は才能をひけらかすところがほとんどなくて、とても性格が良かった。自己コントロールができるから、誰からも好かれました。

それに、ビジネス感覚も抜群でした。ラファエロは、普通は破り捨てる素描を版画にして大儲けしました。まさに実業家ですね。いま僕が、ルネサンス3巨匠のうち、ビジネスのパートナーに誰を選ぶかと問われたら、即座にラファエロと答えます。

ヤマザキ わかります。ルネサンスは創作に対してお金がたくさん回る時代でしたが、その流れにいちばんうまく乗った人だと思います。あの3人の中で理想的な伴侶を選べといわれたら、やはりビジネス要素も含めてラファエロでしょう。まあ、他の2人は、女性にはあまり興味もなかったようだし。

でも彼はまわりに気を遣う人だったと思いますし、我慢強そうでもあります。それも早死にの要因となったのかもしれません。亡くなったのは37歳です。

出口 でも、僕が人間的にいちばん魅力的だと思うのは、やっぱりダ・ヴィンチなんですよ。

ヤマザキ 社会性やビジネス云々という観点からではなく、人間として魅力を感じるという意味では、やはりダントツでダ・ヴィンチですね。ダ・ヴィンチは社会にうまく帰属できない人なんです。共同体という仕組みと合わず、フィレンツェでもうまくやっていけなかった。でも、本人はそれでいいと思っている。後世になってからは彼の孤独が「かわいそう」と同情されたりもしますが、本人はあまり意に介していないと思います。
だって、気が向かなかったら、途中で描くのをやめてしまいますからね。彼が生涯で完成させた油絵は18点しかありません。あとは全部、未完成です。

出口　未完でも、「東方三博士の礼拝」や「荒野の聖ヒエロニムス」などすばらしい作品がありますよね。

ヤマザキ　日本人は、一度始めたことは最後までやるべきだと考えがちですが、それでいいものができるとは限らないし、未完だからこそ人の心に響く作品もあります。そこをわかっていない人が多いですね。

ダ・ヴィンチはお金や世間からの評判はどうでもよくて、「嫌なものは嫌」「できないものはできない」といえる強さを持っていました。孤独の免疫力が、ものすごくある人だったんですね。

出口　１００％完成させたからといって、すばらしいものができるとは限らないし、未完のほうが余韻がある、ということもあり得ます。

ヤマザキ　そこは「ダ・ヴィンチに学べ」ですよ。私も、途中で「これはもうこのへんで止めておこう」と思った作品が何枚かあります。視界に入ってくるのが嫌で捨ててしまったのものある。ダ・ヴィンチ的な素質を持った人って、われわれが「苦手」とか「変人」と括ってしまう人の中に、実は結構いると思うんですよ。

「ポルトガルの異文化を尊重する風土には感動しました」

ヤマザキマリ――Mari Yamazaki

「異質なものを受け入れない国や地域は、衰退していきますよ」

出口治明――Haruaki Deguchi

出口　ヤマザキさんは日本やイタリアのほかにも、いろいろなところにお住まいになられたそうですね。

ヤマザキ　シリア、ポルトガル、アメリカですね。あと短期間ですがエジプトやキューバにもいました。

ポルトガルではリスボンに住んでいたのですが、「ここから去るのはつらいな」と思った最初の街です。7年間住んでいましたが、いつかまた戻ろうと思っていて、家はそのままになっています。

出口　僕も旅行で何度も訪れたことがありますが、リスボンはすばらしいところですね。とくに坂のある光景に惹かれます。

ヤマザキ　暮らしていると坂道だらけで足がクタクタになりますけどね。

私はポルトガルの人々のメンタリティが好きなんです。イタリアだとみんな自我意識が強いし、ずっといっしょにいると、若いときは平気だったんですが最近はどうもヘトヘトになってしまうことが多い。だけどポルトガル人はプライドが高いけれど謙虚で、どこか東洋的です。

ポルトガルは500年前にはあれだけ栄華を極めた国なのに、いまは本当につつましく、それでいてしっかりとした矜持があります。

息子は小中時代をポルトガルで過ごしましたが、あの時期にポルトガルで教育を受けられたことは、本当によかったと思います。

出口 教育の仕方そのものが他の国と違うのですか？

ヤマザキ まずポルトガルという国は、異質なものに対して戸惑いは覚えても、だったら排除、という発想にはつながっていません。５００年前から植民地をたくさん持っていたので、ヨーロッパのどの国よりもいち早く移民文化が栄えて、それがすっかり板についています。あの狭い国に、いろいろな宗教観、いろいろな哲学、いろいろな価値観が共存していて、それが当たり前になっているんです。

出口 アメリカは移民の国だといわれますが、独立後の歴史は２５０年もありません。ポルトガルはスペインと並んで、15世紀半ば以降、ヨーロッパが海に乗り出した時代の主役であり、外国との交流の歴史の深さは、アメリカの比ではないでしょうね。

ヤマザキ ポルトガルに来てまず感動したのがテレビＣＭです。カフェで働くブラジル人や、電気工事をしているアンゴラの黒人など、いろいろな国や民族の人が映っていて、何かと思ったら、「この人たちの協力があってポルトガルが成り立っています」という政府のコマーシャルでした。それを見て、なんと成熟した国なんだろうと思いましたね。

どんな共同体でも、必ずはみ出す人を見つけて、いじめてしまう。これはもう人間の性で、何千年経っても変わらないでしょう。だけどポルトガルは、「われわれには違いはあるけれど、それに構わず共同体としてやっていける」ということを、毅然とした姿勢で国として発信している。これはすごいと思いました。

出口　まさに歴史の厚みですね。そういう懐の深さは、学校教育にも見られるのですか。

ヤマザキ　最初に大家さんから、子どもはカトリックの私立学校へ入れなさい、とすすめられました。でも、その学校には一人も外国人がいなかった。みんな白人のポルトガル人で、政治家や大企業の重役のお子さんばかり。しかも学校の中に滝が流れているんです。「違う違う、これじゃない！」と思って、地元の、家のそばにある公立小学校に入れました。

そこは、なんの変哲もない普通の公立学校なのですが、うちの息子が全くポルトガル語ができないことがわかると、週3回、特別にポルトガル語教室をつくってくれました。もちろん無償です。もともとそういう仕組みがあったわけではなく、先生方が話し合って、「輪番でやろう」と決めてくれたのです。

出口　それはすばらしいですね。地元の学校は人種も多様ですか。

ヤマザキ　はい。学芸地区で文化の薫り高いエリアではあるのですが、公立なので恵まれた家庭の子もいれば、移民や、普通に貧しい家の子どもたちもいました。

いまでもよく覚えているのは、息子とガキ大将のトラブルです。教室で息子が折り紙を折っていたら、女の子がわーっと寄ってきた。それを見ていたガキ大将が、おもしろくないから息子のお腹を蹴ったらしいのです。

私が激高して、「どこのどいつだ、私が話をつける！」と息巻いていたら、息子に「やめて。あいつはお父さんがいま刑務所にいて、いろいろ大変なんだよ」と止められました。10歳の子どもが、そういう社会の複雑な事情を学べる環境は、やっぱりいいなと思いますね。

出口 同じようなバックグラウンドを持っている人が集まると、ハレーションを起こすことは少ないけれども、逆に何も新しいものは生まれませんよね。異質な子どもたちが集まれば、トラブルも多いかもしれませんが、その分、学ぶこともたくさんあると思います。

ヤマザキ まさにそのとおりだと思います。子どもをインターナショナルスクールに通わせている日本人のお母さんに「公立の学校に通わせるなんて怖くないですか、素性のはっきりしない子どもも混ざってるんでしょう？」と聞かれましたが、「素性がはっきりしない子どもが混ざってたほうが俄然楽しいですよ、いろんなトラブル込みで」と答えて、唖然とされたことがあります。

実はその後、息子の誕生日に友だちが遊びに来ました。あのガキ大将もです。靴下に穴が空いていたけど、そんなこと気にしていなかった。子どもたちは、我が家の玄関に靴が並べてあるのを見て、何も言わずに自分たちも靴を脱ぎ、並べはじめました。もちろん、ガキ大将もです。

ポルトガルの家庭では家の中でも土足ですが、「ここは異文化の家だから、その流儀を尊重しよう」とリスペクトする気持ちを持っている。お金があろうとなかろうと、あるいは文化が同じだろうと異なろうと、相手をきちんと認めることの大切さを教えている国なんだと心の底から感動しました。

出口　ポルトガルには多様性を受け入れる文化風土があるんですね。異質なものを受け入れない国や地域は——日本も例外ではありませんが——だいたい衰退していきます。同質社会であり、無菌状態なので活力が湧いてこないのです。

歴史的に見ても、ポルトガルのように、どんどん外国人を受け入れるところは栄えるんですよ。

ヤマザキ　ポルトガルの強さは、まさにそこにあるのかもしれません。

経済的に豊かなわけではないので、高齢者は年金を少ししかもらえません。でも、ボタンをちゃんと上まで締めて、自分の気品を演出している。横柄さや威圧感がないんですよ。自分にふさわしい見せ方、あり方というものをきちんとケアできるプライド、とでもいえばいいのかな。あの芯の強さはポルトガルに行かないと学べなかったものです。

出口　やはり一時期、世界帝国をつくっただけのことはありますね。人間に、余裕があるんですね。

かつて紙幣にもなった、国民的作家であり詩人でもあるフェルナンド・ペソア（１８８８～１９３５）、ポルトガルで初めてノーベル文学賞を受賞したジョゼ・サラマーゴ（１９２２～２０１０）など、日本ではあまり知られていませんが、すごい詩人や作家、写真家などを輩出しているのも頷けます。僕はオリヴェイラの映画も好きでした。

ヤマザキ　ペソアは私も学生時代から大好きなので、あえて彼が暮らしていた地域に古い家を購入しました。ポルトガルにはまだまだたくさんすばらしい作家や映画監督もいます。

ときどき地元の人から、「ポルトガルの文明はあなたたちのところにも伝わっているでしょ」と、さりげなく語りかけられることがあります。実際、九州はポルトガルの影響が強くて、鶏卵素麺やカステラはポルトガルから伝わったお菓子だし、「ぼうろ」はポルトガル語で「お菓子」という意味。もうそのまんまです（笑）。

また、熊本の人吉市には「うんすんカルタ」という、デザイン的にはタロットカードに似たカードゲームがありますが、あれも元々はポルトガルのものなんじゃないのかな……。おもしろいのは、夫の実家がヴェネツィアのそばなのですが、いまも老人たちが同じもので遊んでいたりします。

つまり「うんすんカルタ」は、リスボン、ジェノバ、ヴェネツィア……と港町を回っていき、どういうわけか内陸の人吉まで伝わってしまったと。

出口　それはおもしろい！　地球は丸くて、世界はつながっているということがよくわかる話です。だから広い世界を見ないと、世の中は理解できないんですよね。

※うんすんカルタ――室町時代、ポルトガルの船員たちから伝わったカルタ。ポルトガル語で「ウン(um)」は「1」、「スン(sum)」は「最高」を意味するところから名づけられたという説がある。

「行き詰まったらさっさと逃げます。
何かいけないかしら？」

ヤマザキマリ——Mari Yamazaki

「逃げて捲土重来を期すのは、
正しい選択だと思います」

出口治明——Haruki Deguchi

出口　ところで、いま連載中の『プリニウス』は、漫画家とり・みきさんとの共作ですね。ふたりで一つの作品を作るのは大変なようにも思えるのですが、その点はいかがですか。

ヤマザキ　とり・みきさんとは『テルマエ・ロマエ』のときからのおつき合いです。実は『プリニウス』6巻くらいのとき、ちょっとスランプに陥ってしまって、漫画をすべてひとりで描くパワーが不足して、古代ローマの背景などを描いてもらえるアシスタントを探していたのですが、なかなか見つからなかったんです。そんなとき、とり・みきさんから「僕でよければ手伝います」と連絡をいただきました。

とりさんは私よりも10歳年上の大先輩です。おそれ多いと思いながら一回、テストで描いてもらったら、びっくりするようなすばらしい絵を送ってくださいました。そんなわけで、実は6巻の後半部分の背景は、ぜんぶとりさんが描いているんです。

気がついたら私のほうがとりさんの絵に合わせて主線の太さを調整するようになっていました、私の表現したがっていることを汲み取って見事に描いてくれる大先輩のとりさんをアシスタントとは呼べません。ですから、『プリニウス』の連載を始めるときには共作というかたちにしていただきました。内容と構成、人物までは私がやり、背景をとりさんにやっていただくというかたちです。とりさんは背景に描く家屋や風景にもしっかり時代考証をしてくださいます。

出口　作業は分担できても、整合性を取るという作業が新たに発生するでしょう？ とくに芸術家は感性が重要だから、すりあわせには骨が折れそうです。

ヤマザキ　いろんな人にそう言われました。たしかに私ととりさんは、性格も違えば時間の捉え方も違います。締め切りに対しての考え方も違うので最初の頃は随分ストレスがたまりましたが、それはおそらくとりさんも同じだったでしょう。

でも、先ほどの母と近所の人の話じゃないけれど、いっしょにやっていくうちに慣れていくんですね。私は反発や諦めを繰り返しながらとりさんの時間感覚に慣れていくし、逆にとりさんは私のせっかちな姿勢に慣れていく。やがて、お互いに言わんとしていることやリズム感を汲み取っていけるようになってきて、うまく仕事をいっしょにやっていけるパートナー関係が出来上がったと思っています。

出口　そこはビジネスの仕事と同じですね。企業などの職場でも上司や部下と考え方が違うことがよくあります。でも、違う人ともいっしょにやっていかないと仕事は終わらない。お互いぶつかっているうちに、相手の気質とか、ここを踏み越えると怒られるといったラインが見えてきて、うまくやれるようになるのです。

それを非常にうまくやっていたのが、先ほども出てきたラファエロでしょうね。他のスタッフとぶつからずに、うまくマネージメントしていける才能がある。ヤマザキさんも、もともとラファエロ的な気質があったんじゃないですか。

ヤマザキ　ああ、言われてみれば、そうかもしれません。

とりさんはすごく職人気質で、こだわりが強い漫画家です。たとえば締め切りまで時間がないから、背景を砂漠の設定にしたことがありました。砂漠ならほとんど描くものがないから、早く作画できると思ったんです。

ところがとりさんは砂粒をいちいち描こうとする。「いい加減にしてよ。なんのために今回、砂漠にしたと思ってるんですか！」と怒っても、「端折《はしょ》っちゃだめだよ」といって、譲ってくれない。で、結局、余計に時間がかかっちゃった（笑）。

でも、高校時代のちり紙交換から始まって、大学の講師やテレビのレポーター、普通の会社員まで、多様な仕事を経験してきたことによって、自分の思うとおりにはいかない、さまざまな境遇でも、対応していけるメンタリティは身についていると思っています。「ここで怒っても始まらないな」「この人を受け入れていこう」という気持ちがあるんです。そこは3巨匠でいうならラファエロ的といえるかもしれません。

出口 ラファエロは、人とうまくやっていく天性のスキルを持っていましたが、多くの人はいろいろな経験を重ねることでそのスキルを身につけていきます。僕の言葉でいえば「人・本・旅」ですが、その蓄積が多いと、他人とうまくやっていける確率が上がります。ヤマザキさんは、生まれつきの才能に加えてまさにそういう蓄積をたくさんされているので、ラファエロ的になれたのではないでしょうか。

いわば、「現代のラファエロ」です（笑）。

ヤマザキ　そこまでではありませんが、たしかに、昔から仕事で多くの人と関わって揉まれてきたおかげで、「こりゃまいったな」という人がいても、ひとまず寛容に受け止める寛容性は身についた。苦手と思う人とも、仕事という括りの中では相手の考えや姿勢も慮《おもんぱか》る。負荷が大きすぎればあきらめますが（笑）、やっぱりどんな経験もムダにならないですね。

出口　『プリニウス』に限らず、仕事をしていて行き詰まったときはどうされるんですか。

ヤマザキ　締め切りが重なったりして、「もうダメだ」と思ったら、根を詰めていてもしょうがないから、考えるのをやめてどこかに行っちゃいますね。レンタカーを借りて、伊豆や箱根の温泉に行って風呂に入って、２時間くらい寝る。それですっきりしたら、持ってきたｉＰａｄでまたガンガン仕事をします。お風呂には、行き詰まってしまったり、老廃物が蓄積してしまったりした頭の中を浄化してくれる効果があるんです。

出口　１９６０年代から70年代にかけてドイツの首相を務めたヴィリー・ブラントと同じですね。彼は行き詰まったら逃げ出すんですよ。何か理屈をつけて、ぜんぶ放り出して本当に他国に逃げてしまう。それで2～3日、あるいは1週間くらいしてリフレッシュしたら、また帰ってきてバリバリと仕事をする。

ヤマザキ　それを「逃避だ」といって批判する人もいますが、逃げたっていいじゃないですか。そのおかげで、エネルギー１００倍になって帰ってこられるんですから。

行き詰まっているときにやった仕事は、夜中に書くラブレターみたいなもので、全くダメです。あんなに命を削る思いをして描いたのに、朝起きて読み返すと羞恥心のパンチを喰らう（笑）。だったら、いったん逃げて、清々《すがすが》しい風通しの良い気持ちになってから挑んだほうが絶対にいいですよ。

実際、手塚治虫先生も、行き詰まったら、突然いなくなったりしていたそうですが、そういう手段を取る人は少なくないんじゃないかと。

出口　ビジネスの仕事も同じです。遅い時間までデスクにしがみついていても知恵なんか出るはずがないので、場所を変えて気分転換をして、脳をもう一度活性化させるのは、とてもいい方法だと思います。

渡辺和子さんの『置かれた場所で咲きなさい』という本がベストセラーになりましたね。渡辺さんは立派な人だと思いますが、「ご縁があったのだから、その場所で咲けるようにがんばろう」というのはいいけれど、咲けなかったら、ヤマザキさんの本を読んで、広い世界へ飛び出したほうが、はるかにいいんじゃないかと僕は思うのですが。

ヤマザキ　植物もその場でずっと根を張り続けるものと、種を飛ばして別の土地で咲くものがあるじゃないですか。たぶん人間にもいろんな性質の人がいて、動いたほうが咲ける人もいるでしょう。動こうとする人がいたとき、無理に押し込めない社会になってほしいなと思いますね。

あと、人には逃げなければいけないときがあります。たとえば虎に襲われているとき、「ようし、向き合うぞ！」とやっていては死んでしまいますから。日本の社会は、どんな苦境からも逃げないことを評価しますが、何でもかんでも立ち向かっていればいいわけではないです。

出口　13世紀から14世紀にかけて建てられたイタリアのシエナのプブリコ宮殿は、いま市庁舎として使われているのですが、ここに「善政と悪政の結果」と呼ばれる3枚の壁画があります。「悪政」のほうには、市民がロバに荷物を積んで逃げ出している様子が描かれています。つまり、政府や組織がブラックだと思ったら、逃げ出していいということです。

ヤマザキ　そうですね。苦難に向き合った人は美談として語られますが、そもそも苦難の質によると思いますし、なんでも向き合ってボロボロになればいいというものじゃない。「美談ってそもそもなんなの？」と思うことがありますが、あれは自分や家族が〝世間的に〟恥ずかしくない、っていうだけの話ではないのかと。

出口　美談は、ある意味ではマスターベーションですよね。仕事でもなんでも、大事なことは、いい結果を残すことです。それなのに潔く腹を切って死んでしまったら、何も残らない。それよりも逃げて捲土重来を期すほうが、はるかに正しい選択だと思います。

ヤマザキ　本当の意味で立ち向かっているのは、世間体など気にせず、必要に応じて逃げることができ、いい塩梅《あんばい》で自分を甘やかしながら生き延びていくことのできる人のほうですよ。大事なことは、それでも生きてさえいれば、人生なんとかなるということです。

出口　僕もご飯を食べていければ、それでいいと思っています。還暦でベンチャー企業を開業したとき、多くの人から「せっかく大会社にいたのに、ベンチャーに飛び込むなんて、怖くはなかったですか？」とよく聞かれましたが、うまくいかなかったら、添乗員をすればなんとか食べていけるだろうと思っていました。

ヤマザキ　え、旅行の添乗員ですか？

出口　僕は大学を出てすぐに就職したので、手に職はないのですが、旅の経験だけは豊富です。実は、趣味で友だちを集めて旅に行くことがよくあるのですが、そのときは僕が全部ガイドをするんですよ。ロンドンに住んでいた頃は10回以上、添乗員を務めました。日本でも10回近く添乗員を務めていますよ。

ヤマザキ　でも添乗員って、お客さんが集合場所に来なかったりしたら大変じゃないですか。

出口　それは放っておけばいいんです（笑）。まあ、とにかく僕が添乗した旅行は結構好評だったので、飢えることはないのではないかと。

ヤマザキ　私はイタリア時代、電気・水道・ガス・電話を止められるほどお金には苦労したし、漫画家として軌道に乗るまではいろいろな仕事をしていました。だから、もしいま漫画がぜんぜん売れなくなって、再び無一文になったとしても、怖くはありません。お金がどうにもならない、という状況からでなければ得られない栄養もある。

最悪、南国までたどり着けば、とりあえずなにがしか食べられそうなものはありそうですよね（笑）。農作業や釣りとかも学んでおこうかな。そのときはそのときで、「ああ、また新しい世界が始まるんだな」と考えればいいのだと思います。もともと自分の人生に対して理想を描いてきたわけではないので、思いどおりにならなかった、幻滅した、っていうのもありません。

出口　そういう覚悟ができるのも、いろいろな経験を積み、勉強してきた結果ですね。

ヤマザキ　ははは、うまく「勉強」につなげられましたね（笑）。いま、私の血肉となっているものは、イタリアのサロンで勉強不足や知識不足をバカにされたり、チリ紙交換やテレビのレポーターをしたり、とり・みきさんとコラボレーションをしたりという経験のすべてです。

どんなつまらない経験でも、無駄にはなりません。情報で頭を埋めて知っているつもりになるのではなく、実際に動いて、考えて、失敗して、逃げたり立ち止まったりしてきた心身の経験こそが、何にも勝る勉強になると思います。そういう意味では、私はきっと死ぬまで「生きる」という勉強をし続けていくことになるのだと思います。

おわりに

「はじめに」で、この本のタイトルはもともと「死ぬまで勉強」だったという話をしました。僕は、人間は死ぬまで勉強をしたほうがいい、と思っています。それは、そのほうが楽しいからです。

秦の始皇帝が不老長寿――いつまでも楽しく遊ぼうという世界――を望んだように、人間はやっぱりおもしろおかしく、楽しく生きるのがいちばん幸せだと思うのです。だから「もう歳をとったから、新しいことなんかしたくない」という人は加速度的に老いてしまう。それでは人生が楽しいはずがありません。不思議なものへの興味、未知なるものへの探究心、恋人への関心――つまり「好奇心」が、人を若返らせるのです。

ところが、そうは考えない人が少なくありません。政府が掲げる「生涯現役社会」に関連して、定年延長が論議されていますが（僕は定年は廃止すべきだと思っています）、こうした動きに対して、「引退してゆっくりできると思っていたのに……」「ゴルフ三昧の生活を送るつもりだったのに」などと戸惑いと怒りの声が上がっているのはご存じのとおりです。そんな人の下で働く若い人は、不幸としかいいようがありません。

アメリカの大学は、基本的に定年という考え方がありません。80歳を過ぎても教授でいることが可能です。「日本でそんなことをしたら、全員が教授になってしまう。若い人が採用できない」と思われるかもしれませんが、競争原理が働いているので、そんなことにはなりません。どういうことかというと、授業のたびに学生に採点されて、スコアが悪いとどんどん降格されたり、クビになったりするのです。魅力的な先生は80歳を超えても教授でいられますが、30〜40歳の働き盛りの先生でも、学生に支持されなかったら授業を受け持つことができなくなるのです。だから、定年がなくても、「教授40、助教30、准教30」などという適正割合がきちんと保たれるわけです。

サボったら落ちていく、がんばったら上がるという基本的な仕組みがなかったら、社会は衰退していきます。プロ野球でもJリーグでも、伝統的な大相撲でも、がんばって成績を残したら年俸が上がるし、成績が悪ければ収入が激減し、悪くすると引退に追い込まれてしまいます。それと同じ原理、原則を、企業や大学をはじめ、日本中に導入すべきだと思います。そうすれば、沈滞している日本を活気づけることができるだろうし、さまざまなものに対する好奇心もわいてくるでしょう。

ただし、以上述べたことは単純な自己責任論を述べているのではありません。社会の構造的な格差によって、人生にチャレンジできない人もたくさんいます。自己責任論は、弱者にとっては、希望なき社会への道しるべになる危険性を秘めています。親の所得や学歴と住む地域によって、大きな格差が生じているのは、松岡亮二先生が『教育格差』（ちくま新書）で述べたとおりです。教育が格差を縮める重要な役割を担っていることを、けっして忘れてはならないと思っています。

人間が勉強するもう一つの意味は、次世代を育てるためです。どんなに原始的な生物でも、次世代に命をつなぐために存在しています。人間の場合は加えて大きな脳を持っているので、次世代のために、より良き未来を残すことが可能なのです。

ただ、それはあくまで「可能性」であって、このまま日本がどんどん衰退していくのであれば、残せるのは悪夢のような未来になってしまうかもしれません。そんな中で、われわれ大人はもう少しがんばって、この衰退の流れをどこかで反転させる必要があります。ただ単に次世代にバトンをつなぐだけなら、それほど無責任なことはありません。まず大人ががんばって、そのがんばる姿を若者や子どもたちに見せる必要があるのです。

大人が「もう歳をとったし、勉強するのはしんどいから」といって、遊び呆けてばかりいると、若者や子どもが勉強をするはずがありません。だから、大人も人・本・旅で学び続け、子どもと、さまざまなことを議論する環境が必要です。専門的な小難しいことを話す必要はないし、場合によっては子どもに教えてもらってもいい。とにかく学ぶことをやめなければ、未来に光は差してくると思います。

いま、世界ではコロナウイルスと人類が熾烈な戦いを繰り広げています。人類の武器はグローバルな信頼と連帯です。コロナウイルスの情報を交換・共有し、新兵器（ワクチンや薬）を共同で開発する。ここにこそ勝機があります。そのためにも、謙虚に人・本・旅で学ぶ必要があるのです。

本書が生まれたのは、対談をしてくださった皆さん、小学館の大森隆さん、ライターの村上敬さん、藤原将子さん、ＡＰＵ学長室の大滝夏美さんのおかげです。本当にありがとうございました。

２０２０年８月

ＡＰＵ（立命館アジア太平洋大学）学長　出口治明

［著者］出口治明（でぐち・はるあき）

立命館アジア太平洋大学（APU）学長

1948年、三重県美杉村（現・津市）生まれ。京都大学法学部を卒業後、1972年に日本生命保険相互会社に入社。ロンドン現地法人社長、国際業務部長などを歴任したあと同社を退職。東京大学総長室アドバイザー、早稲田大学大学院講師などを経験後、2008年にライフネット生命保険株式会社を開業し取締役社長に就任。2017年、同社会長を退任し、2018年より現職。

著書は『直球勝負の会社―日本初！ベンチャー生保の起業物語』（ダイヤモンド社）、『人生を面白くする 本物の教養』（幻冬舎新書）、『本物の思考力』（小学館新書）、『0から学ぶ「日本史」講義』（文藝春秋）、『教養が身につく最強の読書』（PHP文庫）、『全世界史』（新潮文庫）、『哲学と宗教全史』（ダイヤモンド社）など多数。

編集　大森 隆
編集協力　村上 敬／藤原将子
装丁・DTP　クロス（太田竜郎）

出口版 学問のすすめ
「考える変人」が日本を救う！

二〇二〇年 十一月二日　初版第一刷発行

著者　出口治明
発行者　飯田昌宏
発行所　株式会社小学館
〒一〇一-八〇〇一 東京都千代田区一ツ橋二-三-一
電話　編集：〇三-三二三〇-五一四一
販売：〇三-五二八一-三五五五印刷所
印刷所　萩原印刷株式会社
製本所　株式会社若林製本工場

 ISBN978-4-09-388736-6